JVenables.

Hen Lwybr

a storïau eraill

Mihangel Morgan

GOMER

Argraffiad Cyntaf—1992

ISBN 0 86383 884 7

h Mihangel Morgan

Dymuna'r cyhoeddwyr gydnabod cymorth
Adrannau'r Cyngor Llyfrau Cymraeg.

Cedwir pob hawl. Ni chaniateir atgynhyrchu unrhyw ran o'r cyhoeddiad hwn na'i gadw mewn cyfundrefn adferadwy na'i drosglwyddo mewn unrhyw ddull na thrwy unrhyw gyfrwng electronig, electrostatig, tâp magnetic, mecanyddol, ffotogopïo, recordio nac fel arall, heb ganiatâd ymlaen llaw gan y cyhoeddwyr, Gwasg Gomer, Llandysul, Dyfed.

Argraffwyd gan
J.D.Lewis a'i Feibion Cyf., Gwasg Gomer, Llandysul, Dyfed.

CYDNABYDDIAETH

Hoffwn gydnabod yn ddiolchgar gyngor a chymorth Cynfael Lake ynglŷn â 'Hen Lwybr'. Diolch hefyd i John Rowlands am ei gyngor yntau ynglŷn â'r tair stori. A diolch i Dyfed Ellis-Gruffydd a Gwasg Gomer am eu gofal gyda'r gwaith.

Dychmygol yw holl gymeriadau a sefyllfaoedd y storïau hyn.

CYNNWYS

HEN LWYBR

Dyma hen fenyw fechan yn dod allan o'r adeilad fictoraidd anferth—adeilad eang, aml ei estyniadau. Mae hi'n clymu cwfl plastig am ei phen oherwydd ei bod hi'n wyntog ac yn bwrw glaw. Mae hi'n codi'i hambarél gan wybod na fydd yn ei chysgodi'n dda yn y tywydd hwn. Serch hynny mae hi'n plygu'i phen dan yr ambarél ac yn ymlwybro ar hyd yr heol hir sy'n arwain o'r cyntedd, trwy lawntydd helaeth, tuag at y clwydi haearn, mawreddog. Gyferbyn â'r clwydi hyn mae safle bysiau. Caiff drafferth i gerdded oherwydd ei gwynegon a'r pwysau sydd yn y bag y mae hi'n ei gario. Mae rhywbeth cyffredin yn y ffigur di-nod hwn—hen fenyw fechan dlawd. Mae hi'n edrych ar safle'r bysiau lle y gall gysgodi am dipyn. Yna, mae'n croesi'r heol yn ofalus; dyw hi ddim yn gallu brysio, rhaid iddi aros nes y bydd y ffordd yn glir am bellter i'r ddau gyfeiriad. Yna â i mewn i'r man cysgodi i aros am y bws a throi i wynebu'r ysbyty meddwl lle bu'n ymweld â'i brawd.

Daw'r bws. Caiff drafferth, a phoen, wrth ddringo i mewn iddo; nid yw'r gyrrwr yn dangos fawr o gydymdeimlad nac amynedd, a does neb sydd ar y bws yn codi i estyn llaw iddi. A hithau'n wlyb at ei chroen, mae hi'n gorfod cymryd ei hamser i dynnu'i phwrs o'i bag a rhoi'r arian i'r gyrrwr. Mae hi'n gorfod cyfri'r darnau arian gleision yn ofalus (gan nad yw ei golwg cystal ag yr arferai fod). Nid yw'r gyrrwr yn rhoi cyfle iddi ddod o hyd i le i eistedd. Mae symudiad sydyn y bws yn ei hysgwyd a'i gorfodi naill ai i gwympo i'r sêt wag agosaf—neu ar y llawr. Diolch i'r drefn, mae hi'n cael lle i eistedd yn agos i flaen y bws, wrth ochr menyw ifanc. Diolcha ei bod ar ei ffordd tuag adref.

Mae hi wedi gwneud y daith hon i'r ysbyty meddwl ac yn ôl bob wythnos ers deugain mlynedd. A hithau'n heneiddio, teimla fod y daith yn fwy blinderus ac yn fwy o ymdrech bob tro.

Mae'r fenyw ifanc yn gwneud ei gorau glas i anwybyddu'r hen wreigan; roedd hi wedi gobeithio cadw'r sêt iddi hi'i hun yn gyfan gwbl. Mae'r hen wraig yn gyfeillgar ac yn barod i siarad â phawb. Try at y fenyw ifanc a chyfeiria at y tywydd ofnadwy ond mae honno'n ei hanwybyddu'n llwyr.

Mae'r bws yn mynd drwy dref sydd o fewn dim i'r ysbyty meddwl; tref brysur lle gwelir llawer o bobl yn heidio o siop i siop fel ar bob Sadwrn arall. Yn y stryd gwêl yr hen wraig ŵr a gwraig ifanc a haid o blant, pump ohonynt. Anaml y gwelir teulu mor fawr y dyddiau hyn, ond pan oedd hi'n blentyn nid oedd teulu mawr yn anghyffredin o gwbl; yn wir, onid oedd hi'n un o bump ei hunan?

Roedd saith ohonynt o gwmpas y ford. Atgof melys bore oes. Ei thad, a'i wallt tywyll a'i fwstás, yn gwenu ac yn siarad fel pwll y môr drwy'r amser. Ei mam yn sefyll wrth ei ysgwydd yn torri'r bara menyn gan ddal y dorth yn yr hen ffordd Gymreig. Wrth ochr ei thad y mae Daniel, ei brawd mawr hynaf, oedd eisoes yn gweithio dan ddaear yn y pwll. Wrth ei ochr ef, Alun, yn ysu am gael mynd ma's yn syth ar ôl iddo gwpla'i fwyd i gael chwarae pêl-droed gyda'r bechgyn eraill o'r ysgol ramadeg. Yna, ei hunig chwaer, Mary. Ac yna Edwart, y tawelaf a'r mwynaf ohonynt i gyd, a'r agosaf ati hi, y cyw melyn olaf, mewn oedran ac ysbryd.

Dodai Mam y bwyd o'u blaenau. Caeai Tada'i lygaid i weddïo gan ddiolch am y bwyd ac am iechyd da. Yna byddai pawb yn bwyta'n awchus, a distewai'r sgwrsio.

Ar y Sul aent i gapel Carmel gyda'i gilydd. Roedd Tada newydd gael ei godi'n flaenor ac roedd pawb yng Ngharmel yn ei edmygu gan ei fod yn ddyn mor ifanc. Eisteddai hi ac Edwart gyda'u mam, ar ochr y merched; ond âi Mary i eistedd gyda'i ffrindiau, Alis a Ffebi, ar y meinciau blaen. Âi Daniel ac Alun i eistedd gyda'r dynion, tra eisteddai Tada gyda'r blaenoriaid eraill yn y sêt fawr. Roedd hi'n licio gwylio'i thad yn canu heb iddo edrych unwaith yn ei lyfr emynau; yr oedd yn gwybod yr emynau i gyd ar ei gof a'i galon.

Ar y ffordd tua thref, ganol dydd, rhedai Tada ar ei hôl a'i hela i chwerthin yn afreolus; yna byddai'n ei chipio a'i chario'n ôl ar ei ysgwyddau.

'Ti'n falch, Gweni fach?' meddai. 'Wel sigla dy gwt 'te.'

Mae'r hen wraig yn sylwi ar fam gyda merch tua deng mlwydd oed mewn sêt gyfagos. Ac yna, wrth iddi ymlacio, dechreua'r meddwl grwydro ac ymhen dim mae hi'n pendwmpian.

Yr oedd ar ei ffordd adref o'r ysgol, yn ferch ddeng mlwydd oed. Roedd hi'n sgipio fel arfer, yn falch ei bod yn mynd tua thre a bod y tywydd yn braf.

Doedd hi ddim yn licio'r ysgol o gwbl. Rhai o'r merched mawr yn gas wrthi, neb yn gwmni iddi yn yr iard a hithau'n rhy swil i ymuno yn y chwarae. Doedd dim amdani ond gwylio'r lleill yn chwarae. Doedd hi ddim yn licio'r gwersi: roedd popeth yn rhy ddyrys yn ei thyb hi; y darnau ddim yn disgyn i'w lle, yn enwedig pan fyddai'n gwneud syms. Ac roedd arni ofn yr athrawon i gyd—yn enwedig Miss Price, ei hathrawes ddosbarth. Doedd hi byth yn gwenu, gwgai bob amser ac roedd hi'n llawer rhy barod i roi clatsien; câi'r merched, hyd yn oed, brofi blas y gansen.

Daeth i waelod y stryd lle'r oedd Teifi, ci Mr Morris, yn gwarchod. Roedd e yno'n aros amdani bob dydd. Ci mawr du. Unwaith, pan oedd ar ei ffordd adre, roedd Teifi wedi'i chnoi. Weithiau byddai'n cyfarth, droeon eraill byddai'n ysgyrnygu gan ddangos ei ddannedd mileinig. Os byddai'n cyfarth, fel rheol byddai'n sefyll yn yr un man heb ddod ar ei chyfyl hi, ond os byddai'n ysgyrnygu dyna pryd y byddai'n debygol o wneud cyrch amdani. Saethai allan a mynd am ei thraed, neu fe geisiai gnoi'i bysedd fel y gwnaeth y tro hwnnw y llwyddodd i'w hanafu. Ei brodyr yn ei chynghori i beidio â rhedeg ond i gerdded heibio'n dawel ac yn araf; Tada wedyn yn ei rhybuddio i beidio ag edrych ym myw llygaid ci—cadw llygaid arno ond peidio ag edrych i mewn i'w lygaid, a pheidio â dangos iddo fod arni ei ofn. Roedd y pethau hyn yn haws i'w dweud na'u gwneud.

Roedd Teifi'n dawel y tro hwnnw, ac aeth hi heibio'r cornel yn ddiolchgar heb drafferth.

Ond roedd ambiwlans yn y stryd. Troes ei chalon

yn blwm yng nghawell ei chorff. Doedd hi ddim eisiau credu bod yr Ambiwlans yn sefyll yn fygythiol wrth ddrws ei chartref. Doedd hi ddim eisiau symud; doedd hi ddim yn gallu symud. Gwyddai'n union beth oedd wedi digwydd heb fynd gam yn nes at y tŷ. Damwain yn y pwll a'i thad wedi cael ei ddiwedd. Clywsai am bethau fel'na'n digwydd i dadau plant eraill. Coliers yn cael eu diwedd dan ddaear. Roedd yn digwydd mor aml nes y daeth yn gyfarwydd â chlywed yr ymadrodd. Ond ffeiarman, dyn tân yn y pwll, oedd Tada, nace colier. Ond roedd hi'n gwybod yn ei chalon pan welodd hi'r Ambiwlans fod ei thad wedi marw. Cerddodd lan y stryd yn araf, araf. Roedd drws y tŷ ar agor led y pen a gallai glywed ei mam yn crio a'i brodyr yn llefain, ei brodyr mawr yn llefain y glaw. Daeth rhywun, Bopa, allan o ddrws nesa a'i thywys i mewn i'w chartref a rhoi te melys iddi.

Mae'r hen wraig yn agor ei llygaid gan synnu ei chanfod ei hunan ar y bws oer, ei dillad yn wlyb amdani, a'i gwynegon yn ei chnoi. Y tu ôl iddi y mae rhywun yn smygu. Teimlai'n anghyfforddus gan edrych ymlaen at gyrraedd adre; ond mae'r siwrnai'n un hir, taith dwy awr a hanner yn y bws. Gwêl eisiau'r dyddiau pan âi ei gŵr â hi yn y car. Stopia'r bws yn aml ar hyd y ffordd. Y tro hwn mae'n aros i godi menyw a dau o blant, mab a merch, a'r ddau yn ffraeo. Pam y mae plant mor chwannog i ffraeo y dyddiau hyn a pham y mae'r mamau'n edrych mor flinedig a diamynedd? Ond cofia ffraeo ag Edwart. Chwarae teg doedd hi nac Edwart ddim yn angylion o bell ffordd.

Gwêl Edwart a hithau yn awr, yn blant ifanc yn ffraeo yn y gegin. Dyw hi ddim yn cofio'n glir beth oedd asgwrn y gynnen ond roedd hi wedi'i chynhyrfu ar y pryd a chofiai'r boen. Roedd Edwart wedi'i digio, trwy chwarae rhan y brawd hŷn, mae'n debyg, ac yn ei dicter crafodd ei phen i feddwl am rywbeth cas i'w ddweud wrtho er mwyn ei frifo.

'Wel rwyt ti'n fabi mawr hefyd,' meddai'n fuddugoliaethus, wedi taro ar rywbeth o'r diwedd, 'ac yn sisi. Dwi wedi dy weld di'n chwarae marblis ar dy ben dy hun, ac yn chwarae gyda dolis, ac yn siarad â nhw, a dwi'n gw'pod ble'r wyt ti'n eu cadw nhw . . .'

Ar hynny rhoes Edwart glatsien iddi ar ei phen. Gyda hynny dyma'r dagrau'n dechrau powlio o'i lygaid ef, nid o'i llygaid hi, er mawr syndod iddi. Ac yna rhedodd ef ma's i'r cefn gan roi clep ar y drws o'i ôl.

Bu Mam yn dyst i'r cyfan; roedd hi yn y pantri ar y pryd. Cyn iddi benderfynu un ai i grio neu i weiddi daethai Mam ati a rhoi ei phen ar ei mynwes a chusanu'i thalcen yn dyner, dyner, a dweud mewn llais a geisiai gadw o hyd braich ei dagrau a'i theimladau cymysg o ffyrnigrwydd a dicter, 'Paid â phoeni, gad iddo fe fod; paid â chymryd gormod o sylw ohono fe. 'Smo Edwart fel dy frodyr eraill di, ti'n gweld.'

'Pam? Be' sy'n bod arno fe?'

'Dyw e ddim yn iawn. Dwi ddim yn gw'pod beth sy'n bod 'n hunan, dwi ddim yn siŵr be' sy'n bod, wir. Ond rhaid iti drio'i ddeall e gan dy fod ti'n fwy agos ato fe na'r lleill. Tria fod yn serchus 'da fe.

Dwi'n gw'pod bod hyn yn anodd i ti'i ddeall ar hyn o bryd ond fe ddoi di i ddeall. Paid â cholli dy dymer a phaid â'i bryfocio fe. Mae Edwart yn wahanol.'

Er na ddeallai ar y pryd, gwyddai fod geiriau ei mam yn bwysig.

'Esgusodwch fi,' meddai'r ferch wrth ei hochr. Mae hi'n mo'yn pasio gan ei bod wedi cyrraedd pen ei thaith. Rhwng y boen yn ei haelodau a'r ffaith iddi fod yn hanner cysgu ni all yr hen wraig symud yn rhwydd.

'Brysiwch, os gwelwch yn dda,' meddai'r ferch yn llym, 'neu dwi'n mynd i golli'r stop.'

'O, mae'n flin 'da fi ... 'na fe,' meddai gan symud o'r neilltu. 'Fe gewch chi fynd heibio nawr.'

'Diolch,' meddai'r ferch.

Mae'r bws yn siglo'r hen fenyw; mae pob herc yn mynd drwy'i gwynegon fel saeth, ond mae hi'n falch i gael eistedd drachefn ac i gael mwy o le iddi hi'i hun yn y sêt am dipyn o'r ffordd o leiaf.

Doedd dim llawer o deganau yn y tŷ pan oedd hi ac Edwart yn blant. Yn y rŵm ganol—fel y cyfeirid ati—roedd argraffiad o'r llun enwog a ddarluniai'r Llwybr Llydan a'r Llwybr Cul. Hoffai Gwen edrych ar y llun hwn ond roedd e'n hela ofn ar Edwart. Ar yr ochr chwith roedd y Llwybr Llydan a phorth yn arwain ato ar y gwaelod, a'r gair 'Welcome' dros y clwydi mewn llythrennau breision mawr. Ar y llwybr hwn, y tu hwnt i'r porth, gellid gweld llawer o bobl hapus yr olwg, at ei gilydd. Ond yng nghysgod y porth roedd 'na ddyn yn curo asyn â phastwn a dynion yn paffio, ac uwchlaw iddynt ddau ddyn yn saethu dyn arall. Ar wahân i'r rhain nid oedd neb yn ymddangos yn brudd iawn. Ar yr ochr dde roedd y Llwybr Cul a'i borth cyfyng, a cherflun o Iesu Grist ar y Groes lle y dechreuai'r llwybr a dyn yn codi dŵr o ffynnon o dan y Groes. Ymhlith y rhai a welid yn troedio'r llwybr hwn oedd menyw yn cerdded gyda merch fach ac roedd y ddau hyn yn gwneud iddi feddwl amdani hi'i hun a'i mam. Roedd y ffordd yn gul ond o bob tu iddi roedd 'na borfeydd eang a gwelltog, ond roedd rhyw fath o geunant yn mynd drwy'r gwyrddni â phontydd bach cul yn ei groesi. Roedd 'na weinidog yn pregethu wrth dorf o bobl ac adeilad mawr fel capel gerllaw. Arweiniai'r ffordd gul y tu hwnt i'r adeilad hwn gan fynd yn gulach gulach, ac roedd 'na ddyn yn ymladd â llew â tharian a chleddyf. Sobr iawn oedd gweld y bobl ar y Llwybr Cul. Ar ben y Llwybr Llydan roedd tân a fflamau'n saethu i'r awyr ac yn yr wybren dywyll ffigurau bach noeth yn cael eu cario gan greaduriaid du asgellog. Ond ar yr ochr arall, ar ben y Llwybr Cul, roedd y ffurfafen yn euraid ac angylion yn canu utgyrn o gwmpas angel mawr adeiniog a phelydrau melyn yn ei amgylchu. Roedd enfys yn pontio rhwng y ddwy ochr ac yn y canol ar ben uchaf y llun roedd llygad mewn triongl a phelydrau gwynion yn tarddu ohono.

Roedd gwers y llun yn amlwg hyd yn oed i blentyn bach; arweiniai'r Llwybr Llydan i ddistryw uffernol tra arweiniai'r Llwybr Cul i hapusrwydd tragwyddol yn y nef. Ond ofnai Gwen fod yr ochr gul yn ymddangos yn dristach na'r ochr arall. Onid oedd modd mynd ar hyd y ffordd lydan am beth amser gan gael tipyn o fwynhad a hwyl ac yna croesi dros y clawdd i mewn i'r ochr gul cyn diwedd y daith? Onid oedd modd teithio ar hyd y ffordd lydan am dipyn a throi'n ôl a mynd i mewn drwy'r porth cyfyng ac ar hyd y ffordd ddioddefus wedyn i'r nefoedd, wedi cael blas ar bleser? Ond nid oedd neb i'w weld yn croesi'r ffens nac yn troi'n ôl. A dyna'r llygad oedd yn gwylio popeth. Roedd rhaid dewis y llwybr iawn ar y dechrau ac wedyn doedd dim troi'n ôl nac ailystyried. Arferai Gwen edrych ar y bobl ar y Llwybr Llydan a meddwl, 'O leia dydw i ddim yn gwneud y pethau 'na.'

Pan oedd e'n blentyn ni allai Edwart gymaint ag edrych ar y llun heb ddechrau crio. Denid ei lygaid at yr olygfa arswydus ar frig y ffordd lydan yn unig ac fe'i gwelai'i hunan yn cael ei gipio gan un o'r creaduriaid bach du a'i hyrddio i ganol y fflamau uchel poeth. Fe dynnodd Mam y llun i lawr oherwydd ei fod yn codi dychryn ar Edwart.

Ond roedd digon o ddeunyddiau eraill wrth law i borthi ofnau Edwart. Yn y tŷ yr oedd—ac y mae o hyd, cofia Gwen—hen Feibl mawr teuluol a hwnnw'n llawn lluniau. Arferai hi ac Edwart bori yn y Beibl hwn gan syllu ar eu hoff luniau. Llun o'r dilyw oedd un. Cyrff noeth yn crafangio yn ei gilydd a phobun yn rhuthro i ddringo llethrau creigiog i ddianc rhag y dyfroedd. Menywod yn y dŵr yn dal eu babanod uwch eu pennau i'w cadw rhag y tonnau. Menyw noeth mewn coeden. Plentyn bach noeth yn helpu plentyn arall i ddringo lan i glogwyn. Pobl eraill, wrth lwyddo i ddianc rhag y môr, yn cael eu bwyta gan fwystfilod gwyllt a arhosai amdanynt ar ochr y twyn. Dyma'r rhai na chafodd fynd gyda Noa yn ei arch.

Llun arswydus arall oedd hwnnw o Gorah a'i gyfeillion yn cael eu llyncu gan y ddaear a oedd wedi agor a hwythau'n syrthio, syrthio, bendramwnwgl. Ceisient gydio yn yr ochrau, neu mewn cangen o bren neu mewn craig ond yn ofer, a llithrent yn is ac yn is nes cyrraedd y pydew tywyll. Ond ym mha le yr oedd? Ai yn uffern? Crynai Edwart wrth iddo agor y Beibl i'r tudalen hwnnw ond roedd e'n gorfod troi ato bob tro.

Llun erchyll arall oedd yr un o Absalom yn crogi yng nghanghennau'r goeden, yn crogi ac yn tagu a'i wallt yn cordeddu yn y canghennau, ei ful wedi diflannu oddi tano a'i goesau'n rhwyfo yn yr awyr am droedle ac yn methu cael un. Roedd hwn yn hela ofn ar Edwart hefyd ac yn ei atgoffa, meddai, o'i freuddwydion lle'r oedd e'n nofio yn y tywyllwch, mewn gwagle, a dim byd o'i gwmpas ond tywyllwch a gwacter.

Ond roedd 'na ddau lun arall yn y Beibl Mawr a oedd fel petaent yn gorfodi Edwart i edrych arnyn nhw yn erbyn ei ewyllys. Y cyntaf oedd y llun o'r dyn lloerig yn torri'n rhydd o'i gadwynau. Arferai Edwart ddarllen darn o'r stori hon iddi. Roedd y dyn hwn yn byw yn y fynwent ymhlith y beddau ac ni allai neb ei roi mewn cadwynau oherwydd y gallai eu torri, fel yn y llun, a rhedeg yn rhydd wedyn. Roedd e'n llefain nos a dydd yn y mynyddoedd ac ymhlith y cerrig beddau ac yn ei dorri'i hun â cherrig. A gofynnodd Iesu Grist iddo beth oedd ei enw ac atebodd, 'Lleng yw fy enw, am fod llawer ohonom.' Âi ias drwy gorff Edwart bob tro y deuai at y rhan hon o'r stori, a'r hanes am Iesu'n bwrw'r cythreuliaid allan ohono a'r rheina'n mynd i mewn i genfaint o foch sydd yn eu taflu'u hunain dros ddibyn i mewn i'r môr.

Llun o Nebuchodonosor yn byw fel dyn gwyllt gyda'r bwystfilod oedd y llun arall. Trôi Edwart at y llun hwnnw o hyd ac o hyd. Yn y llun roedd gwallt y brenin yn hir a blêr ac roedd ei ewinedd yn hir hefyd fel crafangau aderyn.

Bu'n rhaid i Mam guddio'r Beibl yn y diwedd gan fod Edwart yn ei ddychryn ei hunan gymaint.

Mae Gwen yn agor ei llygaid. Am dipyn dyw hi ddim yn siŵr ble mae hi. Roedd ei hatgofion mor glir. Ond symuda'r bws â herc arall a sylweddola nad yw hi'n eistedd yn ei chadair gyfforddus yn ei chartref.

Does neb yn eistedd wrth ei hochr. Ofna iddi fod yn chwyrnu ac iddi ddriflan yn ei chwsg, a phenderfyna ymdrechu i gadw ar ddihun am weddill y ffordd.

Mae'r bws yn symud yn gyflym heibio i resi o dai mewn stribedi agos at ei gilydd, tai tebyg i'r un lle y bu hi'n byw ynddo gydol ei hoes. Gall edrych i mewn i gefnau rhai o'r tai hyn a chael cipolwg ar fywydau wrth basio. Mae cefnau tai'n fwy diddorol na'u blaenau. Y gerddi, y cytiau colomennod, y siglennydd i'r plant, yr erialau di-rif, yr estyniadau a'r ychwanegiadau ac ambell bwll nofio bychan hyd yn oed. Yr holl fywyd hwn, yr holl weithgarwch. Wrth fynd heibio mor gyflym mae'n anodd (ac yn dipyn o ben tost) meddwl am yr holl unigolion yn byw eu bywydau o fewn y tai hyn. Rhai yn gofidio am arian, priodasau, arholiadau, iechyd; rhai yn caru, eraill yn troi eu cariadon heibio, rhai yn ffraeo. Pob un yn ei gylch caeëdig ei hun ac eto yn tybio ei fod yn ganolbwynt y bydysawd. Ac wrth iddi fynd heibio iddynt yn y bws nid yw ei bywyd hi yn cyffwrdd nac yn cysylltu â'r un ohonyn nhw. Dyw hi ddim yn bod iddynt ac nid ydyn nhw'n ddim byd iddi hi ond ffurfiau a lliwiau yn symud yn y pellter ac yn diflannu mewn fflach. Wrth feddwl am fywyd fel hyn ymddengys y cyfan yn ddiwerth, a dibwys. Câi Gwen yr un teimlad weithiau pan edrychai ar y sêr yn y nos. Teimla'n drist ac yn flinedig.

Newidiodd popeth ar ôl marwolaeth Tada.

Ei brawd hynaf oedd y cyntaf i fynd dros y nyth. Roedd e wedi bod yn gweithio dan ddaear am gyfnod yn barod a dibynnai Mam arno gan mai ychydig o sylltau'n unig a gâi fel pensiwn ar ôl Tada.

Wrth ddychwelyd o'r pwll glo yn ddu i gyd arferai Daniel hela ofn arni o ran hwyl, gan ddangos ei geg goch a gwyn ei lygaid iddi. Yna âi Daniel i ymolchi ac i'w stafell i astudio'i lyfrau tan hanner nos. Roedd e'n dilyn cwrs drwy'r post gan obeithio gwella'i gymwysterau a chael gwaith gwell. Unwaith symudasai Gwen bentwr o'r llyfrau hyn i godi llwch a chymoni'r stafell er mwyn helpu Mam ond pan ddaeth Daniel yn ôl y noson honno aeth e'n gacwn gwyllt. 'Paid byth, byth â symud 'n llyfrau i byth eto,' meddai. 'Ti'n clywed?' Aeth hi at Mam a llefain y glaw. Ac aeth Mam yn ei thro at Daniel.

'Paid ti â bod yn gas wrth dy chwaer fach,'

meddai Mam, ''Mond tair ar ddeg oed yw hi ac mae hi'n dal i deimlo ar ôl colli Tada.'

Wnaeth hi byth symud llyfrau Daniel wedyn ond, chwarae teg, doedd Daniel byth yn gas wrthi chwaith. Ac ar ôl iddo weithio dan ddaear am ryw ddwy flynedd arall ac astudio a gweithio'n galed i basio'i arholiadau fe gafodd Daniel swydd ym Manceinion ac ymhen dim roedd wedi eu gadael.

Swniai Manceinion, yn nhyb Gwen, fel pe bai ymhell bell i ffwrdd, yn ddieithr, a dychmygai fod y lle yn arswydus o fawr. Gweithiai Daniel mewn siop fawr yno ac ysgrifennai'n gyson gan anfon arian papur at Mam. Âi'n rheolaidd i gapel Cymraeg yn y ddinas honno ond dywedai ei fod yn gweld eisiau Mam a'i frodyr a'i chwiorydd.

Aethai Alun i'r ysgol ramadeg a llwyddo yn ei arholiadau ac wedyn aeth i brifysgol ar ysgoloriaeth bitw. Doedd Mam ddim yn gallu fforddio iddo fynd mewn gwirionedd, ond rywsut, a thrwy lawer o aberth fe lwyddodd i roi'r cyfle iddo. Ar ôl tair blynedd yn y brifysgol a blwyddyn arall mewn coleg i ddysgu bod yn athro, cafodd Alun swydd ym Mryste ac wedyn roedd yntau'n gallu helpu Mam a thalu'n ôl iddi.

Aeth Mary i ffwrdd i fod yn nyrs a chael swydd mewn ysbyty yn Wolverhampton.

Felly fe'i gadawyd hi ac Edwart gyda Mam. Ond roedd Mam yn dost erbyn hyn, yn dioddef gan gryd cymalau er nad oedd hi'n hen iawn (o bell ffordd) a doedd hi ddim yn gallu gweithio na symud yn rhwydd. Ac roedd Edwart yn methu dygymod ag unrhyw fath o waith. O'r dechrau un, meddwl crwydrol fu ganddo ac ni allai ganolbwyntio ar ddim yn hir. Wedyn dechreuodd grwydro'n llythrennol. Cerddai i Bontypridd ac yn ôl, cerddai i Gastell-nedd ac yn ôl, a cherddai i Ferthyr ac yn ôl. Bob tro deuai adref wedi llwyr ymlâdd ac weithiau ni allai gofio ymhle y bu. Weithiau byddai un o'r cymdogion yn ei weld yn crwydro, a golwg arno fel pe bai ar goll yn llwyr, ac wrth ei gyfarch ni fyddai'n adnabod neb, a gwrthodai bob cynnig i gael ei hebrwng adref. Ond diolch i'r drefn roedd e bob amser wedi llwyddo i ddod o hyd i'r ffordd tua thre, er ei bod yn hwyr iawn arno'n cyrraedd weithiau, a Mam a hithau wedi bod yn poeni'n arw amdano.

Dywedai'r cymdogion, rai ohonynt, bethau cas amdano gan chwerthin am ei ben. Ond doedd Mam ddim yn gadael iddynt ei phoeni; penderfynodd Gwen na chymerai hithau ddim sylw ohonynt. Serch hynny, poenai am Edwart. Roedd yntau wedi symud i ffwrdd fel Daniel, Alun a Mary mewn ffordd. Teimlai Gwen fod pawb yn symud i ffwrdd oddi wrthi.

Roedd hwn yn gyfnod anodd ac roedd Mam ac Edwart a hithau'n dibynnu ar y lleill am bob ceiniog goch, bron.

Dyma rywun yn dod i eistedd wrth ei hochr a'i thynnu unwaith eto o fyd ei meddyliau. Gŵr ifanc. Pan ddaeth ar y bws roedd gwraig ifanc gydag e ond mae honno wedi mynd i eistedd y tu cefn iddo. Mae'r bws yn llawn a does dim lle i'r ddau eistedd gyda'i gilydd. Teimla Gwen drueni drostynt. Mae'r gŵr yn gorfod troi rownd i siarad â'r ferch. Does dim byd gwaeth na gwahanu cariadon fel hyn, hyd yn oed am eiliad. Roedd hi'n bwriadu dweud rhywbeth wrth y dyn ifanc; buasai hi wedi licio cael tipyn o sgwrs â rhywun ond daeth y bws i safle arall ac aeth nifer o bobl i lawr ac aeth y gŵr a'r fenyw ifanc i eistedd gyda'i gilydd. Mae hi wedi colli cyfle i gael siarad â rhywun ac felly teimla'n siomedig. Er ei bod ar ei phen ei hun unwaith eto mae Gwen yn meddwl am y pâr ifanc sy 'nôl gyda'i gilydd unwaith eto a hwythau dros eu pennau a'u clustiau mewn cariad. Daw hynny â theimlad cynnes i'w bron, er gwaetha'r ffaith na fu ei phriodas ei hun yn un hapus iawn.

Roedd hi'n chwech ar hugain ac yn dal i fod mor denau â llathen. Gweithiai yn y dref fel morwyn i'r doctor a'i wraig; byddai'n golchi'r dillad ac yn cymoni'r tŷ ac yn mynd â'r plant bach i'r ysgol dan ei llaw. Roedd hi'n ddigon hapus â'r drefn hon. Dal yn dost roedd Mam; yn wir, roedd ei chyflwr yn gwaethygu er na chwynai ddim, ac âi i'r capel yn ffyddlon. Bu i Gaerfaddon i gael ymdrochi yn y dyfroedd iachusol yno ond doedd hi ddim tamaid gwell wedyn.

Am Edwart, roedd e'n iawn ond iddo gael tawelwch. Golygai hynny nad oedd neb i geisio ymyrryd â threfn ei ddyddiau na cheisio'i gael i wneud dim byd yn erbyn ei ewyllys. Creadur tawel a digychwyn fu e erioed ar y cyfan.

Unwaith pan aeth ar un o'i grwydradau ysbeidiol —roedd hi'n gyfarwydd â'r rheina bellach ond byddai Mam yn dal i ofidio amdano ac yn dal i aros ar ei thraed drwy'r nos nes iddo ddychwelyd pa mor hwyr bynnag fyddai hi arno'n cyrraedd—aeth Gwen i mewn i'w stafell. Cafodd ysgytiad i weld pa mor anniben oedd y lle, ond wiw iddi symud dim na cheisio cymoni chwaith. Gwyddai nad oedd hawl ganddi hi i fod yno. Teimlai fel tresmaswr. Ar y llawr roedd pentyrrau o gylchgronau a phapurau a llyfrau, llawer ohonynt ar agor ar dudalennau a lluniau o bob math arnynt. Ond yng nghanol y llyfrau hyn, oedd yn ffurfio rhyw fath o nyth, roedd hen ddoliau Edwart. Roedd e'n dal i chwarae â phethau fel'na er ei fod yn ddeg ar hugain. Roedd 'na focs o dan un o'r cadeiriau ac roedd ei chwilfrydedd yn drech na hi, felly fe'i hagorodd. Ynddo roedd casgliad o hanner coronau. O ble y cafodd Edwart y rhain a pham roedd e'n eu cadw nhw fel hyn? Doedd dim syniad ganddi hi.

Tua'r amser hwn y cyfarfu â'i gŵr. Doedd neb yn disgwyl iddi ddod o hyd i ŵr, a doedd hi erioed wedi dangos llawer o ddiddordeb mewn dynion. Ond roedd ei ffrind Ruth yn wahanol. Byddai honno'n cwrdd â dynion ifainc o hyd a hi aeth â Gwen i'r pentref nesaf i gwrdd â'i chariad newydd a ffrind hwnnw. Robert oedd enw'r ffrind, a'r syniad oedd eu bod yn mynd ma's gyda'i gilydd, Ruth a'i chariad newydd, Bryn, a Robert a Gwen. Roedd hi'n rhy swil ac ofnus i wrthod hyd yn oed, ac roedd Ruth wedi trefnu pethau cystal fel nad oedd modd iddi ddianc o'r fagl.

Doedd hi ddim yn cofio'n glir sut y bu i bethau ddatblygu rhyngddynt. Roedd e'n garedig ac yn serchus a difyr, ac er mor anhygoel yr ymddangosai hyn iddi, roedd e'n daer o'r dechrau. Ar ôl iddynt gwrdd fel rhyw fath o bedwarawd sawl gwaith, dechreuodd Robert ddod i ddisgwyl amdani ar ei feic modur. Wedyn, i ffwrdd â nhw ar y beic, hithau ar y cefn yn gafael am ei bywyd am ganol Robert. Iddi hi, nad oedd wedi bod yn bell o'i chartref o'r blaen, roedd y cyflymdra a'r rhyddid newydd hwn yn arswydus ond yn gyffrous ar yr un pryd. Ar gefn y beic, ei llygaid wedi'u cau'n dynn a'r gwynt yn rhuthro dros ei hwyneb a thrwy'i gwallt ac o gwmpas ei choesau, nid oedd dim arall i'w wneud ond closio, dodi'i hwyneb ar ei gefn a lapio'i breichiau'n dynn am y gŵr ifanc, rhag ofn, rhag y perygl. Pan aeth hi ar y beic y tro cyntaf doedd hi ddim yn hapus iawn ac fel merch a fagwyd ar fronnau'r ysgol Sul doedd hi ddim yn awyddus i afael am ei ganol. Doedd hi erioed wedi bod mor agos at ddyn, ar wahân i'w brodyr, a doedd hi ddim yn meddwl amdanyn nhw fel dynion; bechgyn oeddynt. Ond dywedasai Robert wrthi, 'Rhaid iti afael amdanaf, mae'n rhy beryglus iti eistedd 'nôl.' Wrth deithio fel'na fe gofiai Gwen weithiau am ei thad yn ei chodi ar ei ysgwyddau, ging-gong-gafr, ac yn gofyn, 'Ti'n falch? Sigla dy gwt 'te.'

Aeth Robert â hi dros y mynydd ar gefn y beic iddi gael cwrdd â'i dylwyth oedd yn byw yng nghefn gwlad. Roedden nhw'n bobl wahanol iawn i'w theulu hi, yn gryf a chaled ag ôl y tywydd ar eu hwynebau. Gweithiai'i dad ar y ffermydd cyfagos a'i fam hefyd; roedd hi'n fenyw wrywaidd bron, ei breichiau'n gryf a'i hwyneb yn galed, fel wyneb dyn. Roedd ganddo chwaer, Menna, a brawd, Ffred, yn iau nag ef, y ddau yn eu hugeiniau cynnar. Yn byw gyda'r teulu hefyd oedd brawd ei dad, dyn mawr cryf iawn, ei drwyn yn goch a'i wyneb yn rhwydwaith o wythiennau bach porffor. Ffred oedd ei enw yntau, ond fod pawb yn ei alw'n Wncwl

Ffred. A dyna'i fam-gu, mam ei dad ac Wncwl Ffred, hen wreigan mewn gwth o oedran heb ddant yn ei phen a eisteddai mewn cadair siglo â siôl am ei hysgwyddau ar bwys y lle tân drwy'r dydd yn rholio'i bodiau, yn byw yn ei hatgofion, ac yn ail-fyw ei gorffennol heb fawr o ddiddordeb yn yr hyn a ddigwyddai o'i chwmpas.

Cafodd Gwen ei thrin fel tywysoges ganddynt, pawb yn rhyfeddu mor fach a thenau oedd hi. Ceisiodd Mam Robert wthio bwyd arni bob cyfle; ofnai nad oedd hi'n cael digon i'w fwyta. Er mor garedig y buont wrthi doedd hi ddim yn teimlo'n gartrefol yn eu plith.

Roedd anifeiliaid ym mhobman. Cathod yn y tŷ yn eistedd ar y cadeiriau ac yn rhwbio'n erbyn coesau pob ymwelydd, cŵn yn cyfarth yn y cefn. Doedd Gwen ddim yn gyfarwydd ag anifeiliaid o gwbl. Cadwai mam Robert ieir yn y buarth yng nghefn y tŷ; deuai rhai i mewn i'r gegin yn haerllug ddigon. Ond y peth gwaethaf oedd y ceiliog mawr ffyrnig o ymosodol. Roedd ar Gwen ei ddirfawr ofn a doedd hi ddim yn deall sut y gallai'r teulu oddef creadur mor annymunol o gas a swnllyd. Creadur y dref oedd hi, wedi'r cyfan.

Bu'n rhaid dod â Robert i gwrdd â'i mam a phan ddaeth y diwrnod roedd Gwen yn llawn gofid ac yn dalp o ofn. Ofn na fuasai'i mam yn licio Robert, ofn na fuasai Robert yn cadw at ei air ac yn methu dod, ofn ei ymateb wrth ddod wyneb yn wyneb ag Edwart. Ond roedd Mam yn ei licio, cymerodd ato'n syth. Ac roedd Edwart yntau mewn hwyliau da y noson honno. Daeth o'i stafell gan ymddwyn yn hollol naturiol yng ngŵydd Robert. Aeth y noson yn arbennig o dda, ac ar y pryd roedd hi'n meddwl fod popeth yn digwydd yn unol â'i hewyllys hi. Ymhen amser ni allai lai na thybio mai ffrwyth cynllwyn yn ei herbyn oedd y cyfan a ddigwyddodd wedi'r cyfan.

Mae'n rhaid fod pethau wedi datblygu'n eithaf cyflym. Ar gefn y beic modur, yn fuan wedyn, gofynnodd Robert iddi'i briodi. Achubodd hi ar y cyfle gan ofni, ar y pryd, na ddeuai un arall. Eglurodd wrtho nad oedd modd iddi adael ei mam a'i brawd gan fod ei mam yn dioddef oherwydd cyflwr ei chalon a chryd cymalau ac nad oedd ei brawd ddim yn iawn, a doedd neb arall i edrych ar eu holau; doedd ei mam ddim yn gallu edrych ar ei hôl ei hun heb sôn am ei brawd. Roedd Robert yn ddigon bodlon i ddod i fyw gyda nhw, meddai e.

Ymhen dim o dro wedyn priododd Gwen a Robert yng Ngharmel.

Mae'r bws yn dringo rhiw serth, y peiriant yn cwyno a'r bws fel pe bai'n gryndod trwyddo. Egyr yr hen wraig ei llygaid unwaith eto. Teimla fel un wedi'i dadleoli, rhwng dau le a rhwng dau fyd, rhwng heddiw a ddoe, rhwng y byw a'r meirw. Pa mor bell, meddylia, sydd 'da hi i fynd eto? Er ei bod mor gyfarwydd â'r ffordd ymddengys darnau ohoni'n ddieithr iddi bob tro. Sylweddola'n awr fod y bws yn mynd dros y mynydd o'r naill gwm i'r llall. Mae'r ffordd yn droellog am dipyn, felly er bod yr olwg ar y mynyddoedd o'i chwmpas yn ogoneddus bydd symudiad y bws yn ei hela hi i deimlo'n dost. Mae hi'n agor ei bag siopa ac yn tyrchu i'r gwaelod nes iddi ddod o hyd i becyn o losins caled;

mae Edwart yn licio'r losins hyn a dyna pam mae hi'n mynd â phecyn mawr bob tro y bydd hi'n mynd i'w weld. Dyw Edwart, serch hynny, byth yn llwyddo i'w bwyta nhw i gyd, felly mae Gwen yn gorfod cadw'r rhai sydd dros ben. Dyw Edwart ddim yn gallu mynd â nhw lan i'r ward gan fod pobl eraill yn eu dwyn oddi arno, meddai e. Gŵyr Gwen eu bod nhw'n bethau da i'w sugno pan fydd hi'n teimlo'n dost ar y bws.

Mae llai o bobl ar y bws erbyn hyn, ond wrth iddo fynd drwy'r cwm nesaf fe fydd y seddau'n llenwi'n gyflym unwaith eto.

Mae'r wlad y mae'r bws yn mynd trwyddi'n ddarn o dir sydd yn hollol wyllt ac agored heb yr un tŷ na'r un adeilad o fewn golwg ac eithrio hen adfeilion lawr i'r chwith. Does neb wedi byw yno o fewn ei chof hi. Mae hi'n ceisio meddwl am bobl yn byw yno, fwy na chanrif yn ôl efallai. Tyddyn hollol hunangynhaliol, cyn i'r term hwnnw ddod i olygu unrhywbeth anghyffredin. Dychmyga'r gŵr a'r wraig ifanc newydd briodi yn symud yno ac yn edrych o'u cwmpas ar y tir caled anobeithiol. Mae'r bws yn troi'r gornel a wele'r dre fodern nesaf islaw yn y cwm. Diflanna'r hen adfeilion yn y pellter.

Cyn iddi gael plentyn arferai Mam ddweud ei bod hi, Gwen, 'fel llathen', mor denau ac esgyrnog oedd hi. Ond ar ôl genedigaeth Trevor aeth hi'n dew a chasglai'r pwysau amdani'n rhwydd iawn nes y dechreuodd ei gŵr ddweud ei bod 'fel sach o datws'. Wnaeth hi erioed adennill ei hen lunieidd-dra.

Aethant i Weston-Super-Mare ar eu mis mêl. A

doedd hi ddim yn gwybod beth i'w ddisgwyl. Doedd Mam ddim wedi dweud gair wrthi, ddim wedi'i rhybuddio o gwbl. Ond doedd dim ofn arni, serch hynny; roedd Robert yn llawn hwyl, yn chwarae castiau, yn dweud jôcs ac yn ei phrofocio o hyd, yn ôl ei arfer, a'i ddull yn ei hatgoffa o Tada annwyl.

Nes iddynt gyrraedd y gwesty. Ganol y prynhawn oedd hi a hithau'n edrych ymlaen at fynd am dro ar y traeth a chael cip ar siopau'r dref—ond roedd Robert yn mo'yn mynd i'r gwely.

'Paid â bod yn sili,' meddai hi, 'mae'n rhy gynnar 'to.'

Caeodd Robert y llenni a throi'r allwedd yn y drws. Roedd e wedi cloi'r ddau ohonynt yn yr ystafell. Ar y dechrau meddyliai taw jôc oedd y cyfan; doedd hi byth yn siŵr gyda Robert; doedd e byth yn un i wenu wrth chwarae tric. Ond y tro hwn roedd e'n wahanol, ei symudiadau'n wahanol, rywsut, yn arafach nag arfer, yn fwy difrifol, yr awyrgylch o'i gwmpas yn drymach. Heb dynnu ei drem oddi arni fe ddatgymalodd ei dei a'i daflu ar y llawr, ac yna dechrau mysgu botymau'i grys fesul un, yn araf.

'Diosg dy ddillad,' meddai. Roedd ei lais mor oeraidd â dur. A buasai'r gorchymyn yn chwerthinllyd pe na buasai'r geiriau wedi'u datgan mewn modd mor fygythiol a ffurfiol, fel petasai wedi'u paratoi a'u dysgu ymlaen llaw. Gwreiddiodd ofn yn ei llwnc hi.

'Diosg dy ddillad, glou,' meddai eto, yn fwy diamynedd y tro hwn a rhoes hwb iddi nes iddi gwympo wysg ei chefn ar y gwely. Daliodd Robert i syllu arni drwy'r amser gan gilwenu ychydig, yn herfeiddiol braidd. Aeth saeth o ddychryn drwy'i chalon. Roedd ofn dirfawr arni'n awr. Roedd hi am sgrechian am ei mam ond gwyddai'n reddfol fod rhaid iddi geisio rheoli'i hofnau ac ufuddhau. Robert oedd ei gŵr nawr, a doedd e ddim yn mynd i wneud niwed iddi; roedd i fod i edrych ar ei hôl hi. Pam felly roedd e'n ymddwyn fel hyn? Roedd e wedi diosg ei grys, a doedd hi ddim wedi'i weld heb ei grys o'r blaen. Roedd ei frest a'i stumog yn flewog; blew du yn ei orchuddio bron yn llwyr, a'i freichiau hefyd. Roedd e mor debyg i anifail. Gwyliodd hi'n tynnu ei dillad. Doedd hi ddim yn gwybod beth i'w wneud. Roedd hi mor nerfus, ei bysedd wedi mynd yn dew ac yn lletchwith a'r weithred o drin y botymau bach, y bachau, a'r sipiau, a'r rubanau, wedi mynd yn llafur atgas. Dillad newydd hefyd, dillad anghyfarwydd a brynwyd gan ei mam ar gyfer y mis mêl hwn. Sylwodd fod Robert yn datod ei wregys am ei wasg. Yn sydyn roedd e ar y gwely gyda hi, yn tynnu'i dillad, yn rhwygo'i hisddillad newydd pert. Ei freichiau blewog yn rhwystro'i breichiau tenau noeth hi rhag ei hamddiffyn ei hunan. Teimlai'i bwysau arni. Ei gorff blewog, bwystfilaidd ef yn erbyn ei chroen gwyn, noeth hi.

Yn ei meddwl roedd hi am weld ei mam a gofyn iddi beth oedd yn digwydd. A oedd hyn yn iawn? A oedd ei gŵr i fod i'w thrin fel hyn? Pam nad oedd hi wedi meddwl holi'i chwaer cyn y briodas, ei chwaer a oedd yn nyrs ac yn wraig briod? Wnaeth Mary ddim dweud dim wrthi.

Ni allai symud; rhwystrai ef bob un o'i symudiadau. Pe symudai'i phen byddai ef yn ei mygu â'i wyneb garw a'i wefusau glafoeriog; pe symudai'i breichiau byddai ef yn gafael ynddynt gyda'i ddwylo cryf; pe symudai'i choesau lapiai ef ei goesau cyhyrog, blewog amdanynt. Roedd e'n gorwedd drosti, ei wyneb a'i ên bigog yn crafu'i gruddiau a'i gwefusau a'i stumog a'i bronnau noeth, yn llosgi'i chnawd. Roedd e wedi'i hamgylchynu hi â'i gorff a gwastrodi pob rhyddid o'r eiddi.

Ond er ei fod mor agos, mor annymunol o agos, teimlai hi fel petai ymhell i ffwrdd, ymhell o'r carchar o westy a'r papur blodeuog ar y wal. Ond teimlai ymhellach oddi wrth ei mam a'i theulu a phawb yn y byd—yn unig ac yn drist.

Mae'r bws wedi cyrraedd y strydoedd culion a'r tai eto. Mewn sêt gyfagos mae llanc a merch ifanc yn eistedd. Mae Gwen yn tybio eu bod yn sibrwd wrth ei gilydd. Yna mae hi'n sylweddoli taw siarad â'u dwylo y maen nhw am eu bod yn fud a byddar. Mae hi wedi'u gweld nhw ar y bws hwn o'r blaen. Un tro roedd y llanc ar ei ben ei hun a sylwodd Gwen y tro hwnnw ei fod yn gwneud symudiadau bach ac arwyddion gyda'i fysedd bron heb yn wybod iddo ef ei hun, fel pe bai'n siarad ag ef ei hun yn iaith y dwylo. Pan welodd Gwen y bobl ifainc hyn y tro cyntaf roedd hi wedi teimlo trueni drostynt. Ond yn fuan sylweddolodd nad y ffaith nad oedd iaith y tafod ganddynt oedd y trueni ond y ffaith nad oedd mwy o bobl eraill yn deall iaith y dwylo. Er bod y bobl hyn yn llwyddo i fynegi'u hunain, a llawer o bobl ar y bws yn eu nabod nhw, gwyddai Gwen ei bod yn lletchwith ac yn annigonol iddynt pan oedden nhw gorfod cyfathrebu â phobl nad oedd yn deall eu hiaith nhw. Roedden nhw'n ddigon rhugl a huawdl gyda'i gilydd ond roedd eu cylch braidd yn gyfyng. Eto i gyd, nid oedd yn fwy cyfyng na'i chylch hi'i hun. Mae'n debyg fod ganddyn nhw lefydd i fynd i gymdeithasu â phobl eraill drwy gyfrwng iaith y dwylo a digon o bobl yno, ond roedd llai a llai o bobl yn siarad Cymraeg, a dim ond criw o hen bobl fel hi'i hun oedd yn dal i fynd i'r hen gapel. Roedd ei chylch wedi crebachu a doedd hi ddim yn teimlo'n gartrefol yn y Saesneg. Câi ei gorfodi fwy-fwy i fyw ym myd ei meddwl.

Un tro, yn fuan ar ôl ei phriodas, bu'n rhaid iddi fynd i'r cwrdd ar ei phen ei hun, heb ei mam, na neb arall. Roedd ei mam yn rhy dost i fynd ac roedd hynny wedi peri cryn gofid iddi. 'Paid â phoeni,' meddai Gwen, 'rwyt ti wedi bod yn ffyddlon ar hyd dy oes. Does neb yn mynd i edliw'r tro hwn iti.'

Roedd Edwart wedi'i gau'i hunan yn ei stafell lan llofft. Cawsai Gwen drafferth mawr gyda fe'r bore hwnnw; bu'n swnllyd ofnadwy, yn gweiddi ac yn llefain ac yn chwerthin yn afreolus am yn ail. Yn dweud fod rhywun ar y weiarles yn dodi meddyliau yn ei ben.

Roedd hi'n disgwyl plentyn ar y pryd ac, wrth gwrs, nid oedd neb i'w helpu i ofalu am ei mam a'i brawd. Roedd ei chwaer a'i brodyr i gyd yn byw yn Lloegr ac wedi priodi. Roedd Robert newydd ymuno â'r fyddin fel llawer o wŷr eraill, gan fod yr Ail Ryfel Byd wedi dechrau.

Testun y bregeth oedd Dameg y Mab Afradlon,

Luc 15. 11-32. Gwelodd Gwen y stori honno mewn goleuni newydd y bore hwnnw. Dywedodd y gweinidog fod y ddameg hon 'ymhlith y storïau gorau yn y byd'. Ond doedd Gwen ddim yn hapus ar ôl gwrando ar y bregeth. Yn ei barn hi roedd y stori'n annheg a mynnai gydymdeimlo â'r mab a arhosodd gyda'i dad. Onid oedd y Mab Afradlon wedi cael y gorau o ddau fyd? Onid oedd y ddameg yn dweud, 'Cerwch a mwynhewch eich hunan i'r eithaf, manteisiwch ar bobl hyd y gallwch, ac yna ychydig cyn i'r hwyl ballu, dewch yn ôl a dweud "sori" ac fe gewch eich gwobrwyo. Fel hyn y cewch eich gwerthfawrogi.' Roedd y mab arall yn neb, yn ddim byd. Os oedd y stori hon yn wir, yna roedd modd croesi o'r Llwybr Llydan i'r Llwybr Cul yn ddidrafferth wedi'r cwbl ond doedd dim modd gadael y Llwybr Cul. Oedd, roedd hi'n stori dda, fel darlun o annhegwch y byd.

Mae'r bws wedi stopio mewn stryd eithriadol o gul, a cheir wedi'u parcio ar y ddwy ochr. Mae car mawr o flaen y bws, car drudfawr newydd a dyn ifanc mewn siwt yn ei yrru. Amneidia gyrrwr y bws gan ofyn yn garedig i yrrwr y car fynd yn ei ôl, ond mae gyrrwr y car yn gwrthod symud modfedd. Dyw'r bws ddim yn gallu bacio. Yn y lle cyntaf mae'n rhy fawr i'w facio, ac yn ail y mae rhes o geir eraill wedi casglu y tu ôl iddi. Does dim un car arall y tu ôl i'r car drudfawr a byddai'n weddol hawdd iddo symud ond mae e'n gwrthod ildio. Does gan yrrwr y bws ddim dewis ond sefyll ac aros. Mae'r gyrwyr y tu ôl iddo'n canu eu cyrn mewn dicter.

Mae'r mwstwr wedi deffro Gwen o'i meddyliau unwaith eto a chlyw'r bobl sydd ar y bws yn dechrau siarad â'i gilydd. Rhai ohonynt yn melltithio gyrrwr y car. Mae rhai o'r dynion ifainc yn symud i flaen y bws gan ysgwyd dyrnau a chodi dau fys ar y dyn yn y siwt yn ei gar. Mae'u hiaith yn codi'i gwrychyn hi. Does ganddyn nhw ddim parch at y menywod ar y bws.

Does neb yn barod i gyfaddawdu ac fel hyn y byddant am dipyn, fe ymddengys.

Mae Gwen yn cau'i llygaid mewn ymgais i gau allan y sefyllfa annymunol.

Roedd hi wedi gobeithio cael merch. Roedd Robert wrth gwrs, fel pob dyn, wedi gobeithio cael mab, ac yn unol â threfn pethau mab a gafwyd.

Am dipyn doedd hi ddim yn mo'yn edrych arno; teimlai'n ofnadwy o drist ar ôl yr holl ddisgwyl a chynllunio a gobeithio. Teimlai fel llefain o hyd. Doedd hi ddim yn gallu closio at y plentyn ac o ganlyniad i'r ymateb hwn, nad oedd yn ei ddeall, teimlai'n euog a ffiaidd, yn fethiant fel mam ac yn fenyw annaturiol. A phan feddyliai am ei gŵr roedd arni awydd i'w lladd ei hunan.

Yna daeth ei mam i'r ysbyty i'w nôl hi ac i ddal y babi. Daethai Robert â hi yn ei gar bach ail-law newydd. Doedd Mam erioed wedi bod mewn car. Pan welodd hi'r plentyn dywedodd, 'O mae e'n gwmws fel Edwart.' Wedyn toddodd galon Gwen ac roedd hi'n gallu dal ei mab a rhyfeddu at ei fysedd bach a'i freichiau a'i goesau a'i ddiniweidrwydd a'i ddiymadferthedd. Teimlai'i chalon yn dechrau agor a chariad yn arllwys ohoni tuag at y baban.

Roedd e'n dibynnu arni'n llwyr; hyhi oedd y byd i gyd iddo; hi oedd yn amgylchynu'r person bach newydd hwn.

Daeth Robert â nhw adref yn y car. Gyrrodd yn araf oherwydd y plentyn ond teimlodd Gwen bob anwastadrwydd yn yr heol. Roedd rhyw ysbryd ynddi a'i galluogai i gydymdeimlo â phawb a phopeth. Teimlai dros y babi yn ei breichiau, i'r hwn yr oedd pob profiad yn un newydd sbon. Gallai ddeall teimladau'i gŵr a oedd yn chwyddo gan falchder ar gyfrif genedigaeth ei fab newydd ac yn gwneud ei orau glas i fod yn dyner a charedig wrthyn nhw i gyd. Teimlai dros ei mam gan ddychmygu fel yr âi pob herc a hwb a thro yn yr heol fel saeth o boen drwy'i chryd cymalau.

Ar ôl iddynt gyrraedd y peth cyntaf a wnaeth oedd dangos y plentyn newydd-anedig i Edwart. Roedd hi'n bryderus. Wyddai hi ddim pa fath o ymateb i'w ddisgwyl. Fe ddibynnai ar yr hwyl a fyddai ar Edwart y bore hwnnw. Pan ddaeth hi i'r tŷ roedd Edwart yn sefyll yn y cyntedd y tu allan i ddrws y rŵm ganol, yn barod i fynd i mewn fel petai, a golwg ansicr ar ei wyneb.

'Disgwyl, Edwart,' meddai gan godi'r baban, 'dyma dy nai.'

Edrychodd Edwart arno, heb newid ei wep, ac yna'n araf, araf, cododd ei law a rhoi un bys brwnt yn dyner yn erbyn grudd y plentyn. Yna, troes yn sydyn a mynd i mewn i'r rŵm ganol gan roi clep ar y drws. Cafodd y plentyn ei ysgwyd gan y sŵn sydyn, annisgwyl a dechreuodd ubain.

'Awn ni i'r gegin,' meddai Mam. Gallai Gwen weld fod Robert yn grac oherwydd ymddygiad Edwart.

Buasai hi wedi licio rhoi enw Cymraeg ar y mab; Dafydd neu Emlyn. Ond doedd dim cynnig 'da Robert i enwau felly. Roedd Robert ei hun wedi dewis enwau'n barod a doedd ganddi hi ddim dewis. Creadur styfnig, digyfaddawd oedd Robert. Trevor Russell oedd ei enwau i fod yn ôl Robert ac felly y bu. Ond fe fedyddiwyd y plentyn yng Ngharmel.

Addysg y plentyn oedd y frwydr nesaf. Roedd Gwen am iddo fynd i'r ysgol Gymraeg newydd yn y dre a fynychai'i gyfyrdyr—roedd cefndyr a chyfnitherod Gwen wedi brwydro'n galed i sefydlu ysgol Gymraeg yn y dref ac wedi llwyddo yn y diwedd—ond ni ddymunai Robert drafod y mater hyd yn oed. I'r ysgol Saesneg, fel pawb arall, yr âi Trevor, ac i'r ysgol Saesneg yr aeth. Ond Gwen a gafodd y gair olaf ynglŷn â mynd â Trevor i'r Capel, ac i'r Ysgol Sul. Doedd dim gwrthwynebiad gan Robert, neu o leiaf doedd ei wrthwynebiad ddim yn gryf iawn oherwydd nad oedd e byth yn tywyllu drws y lle. Doedd dim diddordeb ganddo mewn crefydd. Peth dibwys ydoedd.

Mae Gwen yn agor ei llygaid a gwêl fod y bws yn symud eto. Ni welodd ac ni chlywodd beth a ddigwyddodd i'r broblem gyda'r gyrrwr digymrodedd. Efallai nad oedd e mor ddigymrodedd wedi'r cyfan. Ond dyw'r bws ddim wedi symud yn bell iawn ac erbyn hyn mae'n rhedeg yn hwyr ac mae hi'n dechrau tywyllu.

Mae dyn ifanc pryd tywyll yn dod i eistedd wrth ei hochr. Symuda ei bag er mwyn rhoi mwy o le i'w goesau ond dyw e ddim yn dweud diolch. Mae e'n smygu er ei fod yn eistedd yn un o'r seddau-dim-smygu. Dyw Gwen ddim yn dweud dim; mae smygwyr yn gallu troi'n gas dim ond i chi ofyn i un ohonyn nhw beidio â smygu. Roedd ei gŵr yn smygwr trwm. Mae golwg sarrug ar y dyn ifanc hwn. Mae ganddo fwstás a locsyn. Ond am ryw reswm mae'n ei hatgoffa o Edwart. Mae hwn yn byw ei fywyd yn hollol naturiol, yn gweithio mewn ffatri efallai, os oes gwaith ganddo o gwbl; tebyg ei fod ar ei ffordd heno i gwrdd â'i ffrindiau. Mae'n rhy wyllt neu'n rhy anaeddfed i fod ar ei ffordd i garu. Ond fe fydd e'n setlo rywbryd. Fe fydd e'n cael cariad, yn priodi, yn magu teulu ac yn cael ysgariad ac yn y blaen. Tan hynny mae'i fryd ar fwynhau'i hunan a gwneud yn fawr o'i ryddid. Fel hyn y mae bywyd i fod i gael ei fyw, mae'n debyg. Gallasai'i brawd fod wedi byw fel hyn yn lle gwastraffu'i fywyd mewn ysbyty meddwl.

Roedd y rhyfel wedi dod i ben. Roedd Robert yn gweithio. Roedd Trevor yn tyfu. Roedd Mam wedi marw. Doedd Gwen ddim wedi dod dros ei phrofedigaeth yn iawn pan ddaeth argyfwng arall i'w rhan.

Ychydig cyn iddi farw dywedodd Mam wrthi unwaith eto am gofio am Edwart, am edrych ar ei ôl e. Ond roedd Edwart wedi mynd yn anodd iawn i'w drin. Y peth gorau i'w wneud yn ei gylch oedd ei adael ar ei ben ei hun. Yn y rŵm ganol roedd e'n dewis bod. Âi hi â bwyd iddo'n gyson, gadawai'r bwyd ar blât y tu allan i'r drws, ond doedd dim gobaith i'w annog i ddod allan i gael glanhau'r stafell. Yn wir ni welai Gwen mohono o ddydd i ddydd, o wythnos i wythnos hyd yn oed. Deuai allan o'i garchar o'i ddewis ei hun pan adawai hi'r tŷ. Gwyddai hyn oherwydd pan ddeuai hi'n ôl gwelai fod rhai pethau wedi eu symud, mân bethau, fel pe buasai'i fod wedi bod yn archwilio pethau er mwyn ei atgoffa'i hunan sut yr oedd pobl yn byw. Gadawai Gwen y tŷ sawl gwaith yn ystod y dydd er mwyn i Edwart gael tipyn o ryddid. Roedd yn ddigon hawdd gwneud esgus—mynd â Trevor am dro a mynd i siopa, mynd i alw ar rywun arall yn y stryd. Doedd hi ddim mor hawdd pan ddeuai ymwelwyr neu gymdogion i'r tŷ. Wrth gwrs roedd Bopa Lisi drws nesaf yn gyfarwydd ag Edwart, ond doedd Gwen ddim mor siŵr ynghylch y cymdogion eraill. Weithiau gallai Edwart fod yn swnllyd yn ei stafell. Fe weiddai neu fe griai neu fe chwarddai. Ni wnâi Gwen ddim i guddio'r gwirionedd. Dywedai, 'Fy mrawd Edwart sy' 'na. Mae e'n cysgu fel arfer, ond weithiau fel hyn mae e.' O ganlyniad i'w gonestrwydd, ychydig o gyfeillion oedd ganddi hi ac ychydig iawn o ymwelwyr a ddôi i'r tŷ.

Ond nid y cymdogion oedd yn ei phoeni, eithr ei gŵr. Doedd gan Robert ddim i'w ddweud wrth Edwart o gwbl. Ac yn wir wedi iddo fod yn gweithio drwy'r dydd roedd e'n flinedig; doedd e ddim yn awyddus i wrando ar rywun yn llefain neu'n dadlau ag ef ei hun neu'n taro'r celfi—yn enwedig yn y nos pan oedd eisiau cwsg arno. Yn awr roedd e wedi dechrau codi bwganod trwy sôn am effaith presenoldeb Edwart yn y tŷ ar y mab Trevor. Gwyddai

Gwen na wnâi Edwart unrhyw niwed i'w phlentyn ond doedd Robert ddim mor siŵr.

'Dyw peth fel hyn ddim yn normal,' meddai.

'Mae e'n iawn ond iddo gael tawelwch.'

'Ie, 'smo fe'n gweithio,' meddai Robert, 'y fi sy'n gorfod ei gadw fe. Ac mae fe'n ddyn, w! Ond 'smo fe'n ffit i fod 'da phobl eraill.'

Roedd hyn yn ei brifo hi'n arw. Aeth y geiriau drwy'i chorff fel cyllell.

'Dwi wedi cael digon. Digon yw digon. Rhaid iti wneud rhywbeth, dy frawd di yw e—neu fe wna i rywbeth . . .'

'Fe fydd rhaid imi sgrifennu at Daniel ac Alun a Mary,' meddai Gwen.

'Wel mae'n hen bryd gwneud rhywbeth.'

Ond doedd hi ddim yn credu bod pethau'n rhy ddrwg. Gallai ymdopi; doedd Edwart ddim yn rhy anodd i'w reoli ond iddo gael distawrwydd a chydymdeimlad. Roedd e wedi ymgilio dros gyfnod hir. Roedd bechgyn yr ardal yn gwneud hwyl am ei ben, nes yn y diwedd iddo ddechrau ofni mentro o'r tŷ.

Yn fuan wedi un o'r dadleuon hyn rhyngddi hi a Robert daeth Edwart allan o'r rŵm ganol un prynhawn heb ei annog. Roedd Gwen yn y gegin yn golchi dillad ac roedd y plentyn yn chwarae ar y llawr. Pan ymddangosodd Edwart cafodd hi fraw. Roedd golwg arswydus arno; ei wallt yn hir dros ei ysgwyddau a'i farf yn flêr a'i ewinedd fel crafangau aderyn, ei ddillad carpiog yn drewi. Ond roedd gwên dirion ar ei wyneb; roedd e'n gwenu ar Trevor bach. Plygodd a dechrau siarad a chwarae gydag e. Roedd Trevor wrth ei fodd yn cael tipyn o sylw gan fod ei fam wedi bod mor brysur y diwrnod hwnnw.

Teimlai Gwen yn falch; efallai fod Edwart yn dechrau gwella, meddyliai; ei fod wedi ymdrechu ac wedi ymgodymu â'i gythreuliaid nes iddo lwyddo i'w trechu.

'Sut wyt ti, Edwart?'

'Beth yw ei enw?' meddai.

'Dyna Trevor, dy nai di.'

'On'd yw e'n fach? Ydy e'n gallu siarad?'

'Dim 'to.'

'Ydy e'n gallu cerdded?'

'O ydy, mae fe'n bwrw i mewn i bopeth.'

Ar hynny daeth Robert i mewn yn annisgwyl o gynnar.

'Beth yn y . . . Beth yw hwn?'

Pan glywodd ef yn gweiddi rhedodd Edwart yn ôl i'r rŵm ganol gan gau'r drws ar ei ôl.

'Rwyt ti wedi'i ddychryn e'n awr,' meddai Gwen.

'Paid ti â gadael i'r creadur brwnt 'na gyffwrdd yn 'y mhlentyn i byth 'to! Ti'n gwrando!'

'Doedd e ddim yn gwneud dim niwed iddo fe!'

'Dim niwed! 'Smo fe'n ffit, 'smo fe'n ei iawn bwyll. Dwi wedi gweud 'tho ti, 'n do, fod rhaid iddo fe fynd, rhaid iti sgrifennu at dy frodyr. 'Smo fe'n gyfrifol, mae fe fel dyn gwyllt w!'

'Mae fe'n dost.'

'Mewn seilam dyle fe fod 'te!'

'Seilam? Be' ti'n feddwl, seilam?'

'Dyle fe gael ei gau i ffwrdd oddi wrth bobl. Mae fe'n wallgo, ynfytyn yw e!'

Doedd hi ddim yn credu'r peth. Roedd y gair yn rhy galed. Doedd hi ddim yn gallu treulio'r syniad dim mwy na dagr. Roedd hi wedi cadw geiriau fel hyn o hyd braich. Yn awr dyma'i gŵr yn ei tharo ar draws ei hwyneb â nhw ac yn eu gwthio nhw i mewn iddi yn erbyn ei hewyllys, heb dynerwch, heb drugaredd. Y gair gwaethaf oedd 'ynfytyn'; roedd y gair yna'n hollol annerbyniol a chroes i'w ysbryd. Byth wedyn bu'r gair hwnnw yn dra atgas ganddi.

'Dwi'n mynd i'w dynnu e ma's o'r rŵm 'na,' meddai Robert, a'i gloi e ma's yn y sied yn y cefn.'

'Nace anifail yw e! 'Mrawd i yw e!'

Aeth Robert am ei gôt ac allan o'r tŷ gan ddangos ei natur. Roedd y plentyn yn llefain; yn y rŵm ganol roedd Edwart yn chwerthin.

Y noson honno ysgrifennodd mewn llawysgrifen sigledig at ei brodyr a'i chwaer.

Daeth Robert yn ôl yn chwil feddw ond wedi anghofio'i ddicter dros dro.

Aed ag Edwart yn fuan wedyn i'r ysbyty meddwl ac yno y bu ers yn agos i hanner can mlynedd.

Mae'r bws yn llawn, bron, unwaith eto. O hyn ymlaen bydd yn stopio'n aml. Mae'r dyn ifanc â'r mwstás a'r locsyn wedi mynd, yn ei le y mae hen ddyn sy'n drewi o gwrw. Mae Gwen wedi gweld y dyn hwn o'r blaen hefyd. Yr hyn sydd yn drawiadol yw bod ei glustiau wedi cael eu torri lawr i ochrau'i ben. Gan ei fod yn hen ddyn tybia Gwen iddo golli'i glustiau yn ystod y rhyfel. Dyfala iddo gael ei ddal gan y gelyn ac iddo gael ei boenydio'n greulon am iddo, hwyrach, wrthod rhoi rhyw wybodaeth iddynt. Efallai fod ei damcaniaeth yn hollol gyfeiliornus ac iddo golli'i glustiau mewn damwain neu mewn sgarmes heb urddas nac anrhydedd. Ond mae hi'n siŵr ei fod wedi dioddef. Dyw hi ddim wedi ei weld yn gwenu unwaith er ei fod wedi cyfarch llawer o bobl ar y bws. Gŵr poblogaidd, adnabyddus yn yr ardal. Mae meddwl amdano'n cael ei boenydio ac am rywun yn torri'i glustiau'n ddidrugaredd yn gyrru ias oer drwy'i chorff. Gobeithia nad yw'r dyn yn sylwi.

Mae hi'n meddwl am greulondeb dyn wrth ei gyd-ddyn ac yn methu deall y peth. Mor wrthun ac mor hollol afresymol yw'r holl ddioddefaint sydd yn y byd.

Sawl gwaith y gwnaeth hi'i beio'i hunan am adael iddyn nhw fynd ag Edwart i ffwrdd? Sawl gwaith roedd hi wedi ei galw ei hunan yn fradwr? Cofiai Mam yn dweud wrthi fod rhaid iddi gofio am Edwart a gofalu amdano, edrych ar ei ôl e. Cysurai'i hunan ei bod hi wedi mynd i ymweld ag ef yn gyson ar hyd y blynyddoedd, a bod Daniel ac Alun a Mary hwythau wedi mynd i'w weld e'n aml hefyd.

'Mae e'n well mewn ysbyty,' meddai'i chwaer. 'Maen nhw'n gallu edrych ar ei ôl e'n well.'

Yn wir pan aeth i'w weld e'r tro cyntaf cawsai'i synnu gan y modd y'i gweddnewidiwyd. Roedd e'n lân, ei ewinedd wedi'u torri, ei wallt yn daclus, wedi'i gribo, ei ruddiau wedi'u heillio'n lân, ac roedd dillad glân newydd amdano.

Ar ôl iddo fynd i ffwrdd bu'n rhaid i Gwen fynd i'w stafell i'w glanhau. Dododd ei gasgliad o hanner coronau mewn banc. Aeth ag un o'r doliau i'r ysbyty gyda hi ond doedd arno ddim eisiau'r ddol.

'Diolch i'r drefn am un peth,' meddai Mary, 'o leiaf mae Edwart yn ein nabod ni bob tro ry'n ni'n mynd i'w weld e.'

Roedd hi'n cyfeirio at y cleifion eraill yn y neuadd fawr lle y cynhelid yr ymweliadau. Cerddai'r cleifion ar hyd y cynteddau hirion, unionsyth a arweiniai o'r wardiau i mewn i'r neuadd fawr lle y byddai'u teuluoedd yn eistedd o gwmpas bordydd yn disgwyl amdanynt. Deuai rhai ar eu pennau eu hunain ac eraill dan ofal nyrs. Roedd golwg ddigon cyffredin ar y rhan fwyaf ohonynt, eraill yn plygu'u pennau i lawr, eraill yn drist, rhai yn llefain, llawer ohonynt yn fantach. Ond roedd rhai ar wahân yn llwyr, allan ohoni, ac ni fedrent nabod neb er bod pobl wedi dod yn unswydd i'w gweld nhw. Safai ambell un mewn cornel yn siarad ag ef ei hun. Un arall yn rhedeg yn ôl a blaen, dro ar ôl tro.

Felly dyma wallgofdy, dyma seilam. Doedd e ddim mor ofnadwy, ddim mor arswydus ag yr oedd pobl yn dweud. Eto deuai'r hen euogrwydd i'w phoeni hi o hyd; tasai hi ond wedi llwyddo i'w gadw ef gyda hi'n hwy. Wnâi hi byth roi'r gorau i'r gobaith y deuai Edwart yn well ac y câi wedyn ddod yn ôl i fyw yn ei hen gartref. A gallai godi'i arian o'r banc.

Deuai i'w weld bob wythnos o leiaf a deuai i'w weld weddill ei hoes. Pan oedd Robert yn fyw deuai ef â hi yn y car ond ddaeth ef ei hun erioed i mewn i'r ysbyty. Parciai'r car ym maes parcio'r ysbyty ac eisteddai yno nes y deuai amser yr ymweliad i ben. Yn yr haf deuai'r cleifion allan o'r ysbyty i eistedd gyda'u teuluoedd yn y gerddi, ac yn rhyfedd iawn ymunai Robert â Gwen ac Edwart y troeon hynny.

O'r dechrau roedd hi wedi mynd â Trevor gyda hi ar bob ymweliad. Daeth e'n gyfarwydd iawn â'r lle.

Roedd e'n ddigon hapus yn rhedeg o gwmpas y neuadd fawr, ac yn siarad ag ymwelwyr a chleifion fel ei gilydd. Daeth i nabod rhai ohonyn nhw wrth eu henwau, a rhai o'r nyrsys hefyd. Fel hyn, ac yntau'n blentyn roedd popeth yn iawn, ond wrth iddo dyfu dechreuai holi cwestiynau anodd.

'Mam,' meddai unwaith, 'be' sy'n bod ar Wncwl Edwart fel bo' fe yn yr ysbyty o hyd?' Ac yn wir doedd hi ddim yn siŵr sut i'w ateb.

'Pam mae Wncwl Edwart yn chwerthin a neb wedi dweud jôc wrtho fe?' gofynnodd dro arall.

Daeth Trevor yn ôl o'r ysgol unwaith a dywedodd —'Mae bechgyn yn yr ysgol yn dweud taw nytars yw'r bobl yn yr ysbyty lle mae Wncwl Edwart.'

Doedd hi ddim yn gallu esbonio nac ateb dim un o'i gwestiynau.

Roedd hi'n gwylio'r teledu gyda Trevor un noson ac yntau tuag un ar ddeg oed ar y pryd pan ddywedodd am ryw ddyn ar y teledu—'Mae hwnna'n ynfytyn.' Aeth o'i cho' yn llwyr.

'Paid â dweud y gair 'na byth eto!' meddai.

Roedd hi'n gweld Trevor yn debyg iawn i Edwart. Deuai geiriau Mam i'w chof yn aml—'O, mae e'n gwmws fel Edwart'. Yn ei chalon ofnai ei fod yn rhy debyg iddo, gyda'r un gwendid. Yn wir roedd e'n blentyn swil, breuddwydiol, unig, tebyg i'w brawd pan oedd yntau'n blentyn. Roedd e'n ofnus hefyd, yn un hawdd i'w ddychryn. Unwaith roedd hi wedi mynd ag ef i'r ysbyty i weld Edwart a daethai Mary a'i gŵr a'u merch, Linda, o Wolverhampton hefyd. Roedd Linda, a oedd yn hŷn nag ef, wedi bod yn ei boeni ac wedi'i alw yn *skinny balink*, a dechreuodd grio'n ofnadwy. Saith oed oedd e ar y pryd, ac aeth wythnosau heibio cyn y llwyddodd i anghofio'r peth. Wrth gwrs, roedd y digwyddiad yn ddoniol iawn i bawb arall ar y pryd ond i Trevor bach, druan ohono. Roedd e'n meddwl mai sgerbwd oedd *skinny balink* ac roedd arno ddirfawr ofn sgerbydau.

Ni allai Gwen drafod ei hofnau ynglŷn â Trevor gyda'i gŵr. Gwyddai y byddai ef yn gwylltio pe beiddiai awgrymu bod Trevor yn debyg i Edwart. Mae'n debyg y byddai yn ei beio hi; roedd e'n ei chyhuddo hi byth a beunydd o 'fratu' Trevor.

Mae dwy fenyw wedi dod i eistedd yn y sêt o'i blaen hi. Maen nhw'n debyg iawn i'w gilydd, y naill ychydig yn hŷn na'r llall efallai. Chwiorydd. Mor agos yw'r berthynas rhwng dwy chwaer. Cofia Gwen am ei chwaer Mary—mae hi'n gweld ei heisiau hi o hyd.

Mae'r ddwy hyn yn mwynhau cael clonc. Mae'n amlwg na welsant ei gilydd ers amser.

Bu damwain ar y ffordd o'u blaen. Mae'r bws yn gorfod arafu i gael mynd heibio. Mae Ambiwlans yno a cheir yr heddlu a'u goleuadau glas yn fflachio. Mae car glas wedi'i falu, a gwydr a metel ar wasgar ar hyd yr heol. Mae dynion yr Ambiwlans newydd fynd â rhywun i mewn. Mae plismones yn cysuro dyn sydd yn dal ei ben ac yn pwyso yn erbyn y car coch. Mae dau blismon yn siarad â dyn arall sydd yn welw iawn, ac mae gwaed ar yr heol. Mae pawb ar y bws yn codi i edrych wrth i'r bws fynd heibio—pawb, hynny yw, ac eithrio'r ddwy chwaer sydd yn dal i barablu er gwaetha'r cynnwrf heb gymryd dim sylw, wedi eu lapio yn eu sgwrs. Mae lleoliad y ddamwain y tu ôl iddynt erbyn hyn ac nid yw'r chwiorydd yn gwybod dim amdani.

Deuai'i chwaer Mary i ymweld â hi'n amlach na'i brodyr. Roedd hi'n agosach at ei chwaer nag at ei brodyr ac eithrio Edwart. Ond ar ôl i Mary briodi roedd yn rhaid iddynt ladrata bob munud i fod gyda'i gilydd. Roedd Mary wedi priodi Sais rhonc, o'r enw gwladgarol George a wiw iddynt dorri gair o Gymraeg yn ei ŵydd. Weithiau, ar y dechrau, anghofient amdano, deuai'r iaith iddynt mor naturiol, a byddai George yn gwylltio a'i wyneb yn mynd yn goch. Pan fyddent ar eu pennau eu hunain yn unig y caent gyfle i siarad eu mamiaith. Doedd Robert a George ddim yn hoff iawn o'i gilydd ac anaml iawn yr aent am dro gyda'i gilydd ond, diolch i'r drefn, ymatebent i ddeisyfiadau Trevor a mynd. Wedyn roedd rhaid cael gwared ar Linda. Roedd hi'n ferch ddeallus, hunanfeddiannol; doedd hi ddim yn licio mynd gyda'r dynion a gadael ei mam ond weithiau gellid ei hanfon drws nesaf at Bopa Lisi. Dim ond wedyn y caent brynhawn gyda'i gilydd a'r rhyddid i gloncian a hel atgofion.

'Wyt ti'n cofio,' meddai Mary, 'o'n ni'n arfer cysgu gyda'n gilydd yn y rŵm fach. Os o't ti'n methu cysgu wyt ti'n cofio be' o't ti'n arfer gofyn?'

'Ydw. "Pryd mae'r 'Dolig?" '

'Wyt ti'n cofio fel o'n i'n arfer d'ateb di?'

'Ydw. "Fory ac yfory ac yfory." Na be' o't ti'n arfer ei ddweud wrtho i,' meddai Gwen.

Weithiau caent ychydig o eiriau gyda'i gilydd yn y gegin wrth baratoi bwyd neu wrth olchi'r llestri. Ond byddai'n rhaid iddynt fod ar eu gwyliadwriaeth bob amser, oherwydd pe deuai Linda i mewn a'u clywed yn siarad Cymraeg âi hi'n syth i ddweud wrth ei thad.

Er ei bod yn ferch hynod ddeniadol, ei gwallt yn euraid a'i thalcen yn uchel ac er bod Mary yn ei charu hi, yn naturiol, ni allai Gwen glosio ati. Roedd Linda yn ddiamynedd ac yn barod i geryddu Trevor ar bob cyfle, a mynnai ei fod e'n dwpsyn. Ac roedd hi'n gwybod popeth. Gormod am ei hoedran ym marn Gwen. Pan ddeuai Mary a'i theulu i aros atynt aent i gyd gyda'i gilydd i weld Edwart. Gallai Linda gau'i llygaid a dweud ym mha le yn union yr oeddynt ar y ffordd; roedd hi wedi dod mor gyfarwydd â'r heol. Doedd Trevor ddim yn ei chredu hi, felly fe glymwyd nisied yn dynn dros ei llygaid ar ddechrau'r daith a gofynnwyd iddi, bob yn hyn a hyn, ble'r oedd y car ac roedd hi'n berffaith gywir bob tro.

'Tebyg i'w thad mae hi,' meddai Mary.

Roedd Linda'n gallu digio Trevor pan oedd e'n blentyn; yn hytrach nag ateb ei gwestiynau dywedai y deuai i ddeall pethau'n well wrth iddo dyfu.

Pan oedd e'n blentyn roedd Trevor yn edmygu Linda a'i holl alluoedd rhyfeddol. Onid oedd hi'n gallu canu'r piano? Roedd hi'n gallu chwarae gwyddbwyll a'i guro ef bob tro (Linda oedd wedi'i ddysgu), ac roedd hi'n gallu gwneud syms yn rhwydd, nofio, canu, a darllenai lyfrau swmpus fesul pentwr. Ond wrth iddo dyfu, oerodd y cyfeillgarwch a phan ddaeth hi ar ei gwyliau i Gymru, heb ei rhieni, i ymweld â nhw gyda'i chariad Luke a oedd yn astudio i fod yn weinidog yn

Eglwys Loegr, yn hytrach na dod i'w gweld aeth Trevor i gwato yn ei stafell nes iddyn nhw fynd. ''Smo fi'n ei licio hi,' meddai wedyn, ''does 'da fi gynnig iddi hi'r snob na'r hipi 'na oedd 'da hi chwaith.'

Er na amlygai'i theimladau roedd Gwen yn cytuno'n llwyr ag ef. Roedd Linda'n wahanol iawn i'w mam.

Mae'r bws wedi cyrraedd tref sy'n dynodi bod hanner siwrnai Gwen wedi'i chyflawni. Mae'n oedi yma am dipyn. Bu hi ar y bws am ychydig dros awr ac mae awr arall o'i blaen. Mae hi'n flinedig ac yn oer. Pan egyr y drysau daw'r nos i mewn i'r bws. Mae'n awyddus i weld y bws yn ailgychwyn ond sefyll yn ei unfan y mae'r cerbyd. Does neb arall am ddod ar y bws ac mae'r sawl oedd am adael wedi mynd. Lle annymunol yw hanner ffordd.

Daeth canol oed ar ei gwarthaf bron heb iddi sylweddoli. Roedd hi'n ergyd pan ddaeth. Doedd hi ddim yn barod; doedd neb wedi'i rhybuddio hi. Doedd hi ddim wedi paratoi ar gyfer yr holl newidiadau yn ei bywyd ac yn ei chorff.

Yn gyntaf daethpwyd o hyd i dyfiant yn ei chroth a bu'n rhaid iddi gael triniaeth lawfeddygol. Tynnwyd ei chroth a gadael bwlch affwysol yn ei hysbryd, fel petai'n ail-fyw'r profiad o golli'i thad eto, a cholli Mam eto, a gweld Edwart yn cael ei gipio i ffwrdd oddi wrthi eto.

Bu hi'n dost iawn am amser hir yn yr ysbyty. Rhwng byw a marw. Daeth Mary i'w gweld a daeth ei brodyr a'u gwragedd. Doedd eu gwragedd ddim yn siarad Cymraeg ac roedd ei brodyr wedi anghofio'r iaith i bob pwrpas ar ôl byw yn Lloegr cyhyd. Doedd dim plant gan Daniel a'i wraig, ond cawsai Alun a'i wraig ferch a dau fab cyn i Gwen gael Trevor. Roedd y plant hyn yn ddigon hoffus, fel eu mam Elaine. Codai'r ymweliadau hyn dipyn ar ei chalon ond, pan fyddai hi a Mary ynghyd, câi siarad yr iaith y buasai'n gyfarwydd â'i chlywed ar yr aelwyd, iaith Mam a Tada, iaith ei breuddwydio a'i synfyfyrio. Roedd pawb arall yn Saeson neu wedi troi'n Saeson, er eu bod yn ddigon caredig a dymunol ar y cyfan. Ond cawsai Mary strôc dro yn ôl a chollodd ei heglurder, ac am resymau na allai Gwen eu hamgyffred ni ddaeth ei mamiaith yn naturiol iddi wedyn ac roedd hyd yn oed Mary wedi mynd i droi i siarad Saesneg gyda hi'n amlach.

Daliai i ofidio am Trevor. Roedd e mor swil ac mor denau o hyd. A fyddai'n ymdebygu i Edwart ai peidio? A dyna Edwart hefyd, doedd hi ddim yn gallu mynd i'w weld. Beth oedd e'n feddwl ohoni? Roedd hyn yn peri gofid mawr iddi.

Deuai Robert bob dydd, chwarae teg iddo. Doedd e ddim wedi bod yn ŵr delfrydol; bu'n anodd iawn weithiau ond bu'n ffyddlon, o leiaf.

Roedd 'na fenyw yn y gwely nesaf, yn cael yr un driniaeth â hithau, Cymraes o'r enw Tudful, merch serchus iawn. Roedd hi wedi cael pedwar o blant a dangosodd luniau ohonyn nhw iddi. Y pryd hynny ni chaniateid i blant fynd i rai wardiau yn yr ysbyty, hyd yn oed i weld eu mamau. Roedd Tudful yn wannach na hi ar ôl y driniaeth, wel roedd hi'n deneuach ac yn iau. Roedd y ddwy ohonynt yn dost iawn, yn 'glawd' iawn yn wir. Teimlai Gwen gadwyn aur o gydymdeimlad a chyd-ddealltwriaeth anhraethol yn pontio'r ddau wely ac yn eu huniaethu.

Un noson, cyn y llawdriniaeth, dywedasai Tudful stori wrthi.

'Pan o'n i'n fach,' meddai, 'ro'n i'n agos iawn at 'y mam-gu a oedd yn hen fenyw annwyl iawn. Ro'dd 'i thŷ hi'n agos iawn at 'n cartref ninnau a dôi draw i'n gweld ni'n aml iawn. Dôi i weud nos da weithiau a'n cwtso ni yn 'n gwelyau. Ro'dd hi'n arfer gweud Gweddi'r Arglwydd 'da ni a gweud ''cysgwch yn dawel'' cyn iddi fynd. Wel y noson 'ma, ro'dd Mam wedi'n dodi ni yn 'n gwelyau ac ro'n i wedi mynd i gysgu. Yna dyma fi'n teimlo rhywun yn 'n siglo i, dyma fi'n agor 'n llygaid a dyna le o'dd Mam-gu. ''Ody hi'n amser cwnnu?'' meddwn i. ''Na, paid â chwnnu, mae'n dywyll.'' A dyma fi'n disgwyl o gwmpas ac yn gweld 'i bod yn dywyll fel bol buwch, a dim golau yn unman, ond 'mod i'n gallu gweld Mam-gu'n glir, er do'dd dim cannwyll na dim golau ar 'i chyfyl hi. ''Cer di i gysgu 'to,'' meddai Mam-gu, ''dod i dy weld ti cyn mynd otw i,'' meddai. ''Ble wyt ti'n mynd Mam-gu?'' ''Wel, mynd i gysgu wrth gwrs,'' meddai, ''nos da, cysga'n dawel.'' Ac yna a'th y lle'n dywyll i gyd ac mae'n rhaid 'mod i wedi mynd i gysgu hefyd. Roedd Mam-gu wedi dod â theimlad hyfryd, tangnefeddus 'da hi. Wel, pan gwnnws i yn y bore ro'dd Mam yn eista mewn cornel yn llefa'n a Nhad yn disgwyl yn brudd iawn ac ro'dd ambell i gymydog 'na hefyd. Ond do'dd Mam-gu ddim 'na. Ac ro'n i'n gw'pod yn syth 'i bod hi wedi marw yn ystod y nos a taw 'i hysbryd o'dd wedi dod i 'ngweld i. Netho i ddim gweud gair wrth neb; fasa neb wedi 'nghoelio i ta beth. Yn wir dyma'r tro cynta i mi rannu'r gyfrinach â neb arall.'

Doedd Gwen ddim yn hoff o storïau iasoer a doedd hi ddim yn siŵr pam yr oedd Tudful wedi rhannu'i chyfrinach â hi a'i chadw rhag pobl eraill yr oedd yn eu nabod yn well. Ond weithiau mae'n haws datguddio dirgelion y galon wrth ddieithriaid. Onid oedd Gwen ei hun wedi dweud pethau wrth Tudful am ei phriodas anodd na feiddiai eu crybwyll wrth ei chwaer hyd yn oed?

Cafodd Gwen dipyn o drafferth i fynd i gysgu'r noson honno ar ôl gwrando ar stori Tudful.

Ar ôl y driniaeth roedd y ddwy ohonynt yn dechrau gwella, ac roedd Gwen yn edrych ymlaen at gael cyfeilles newydd. Ond ymhen tridiau bu farw Tudful yn hollol annisgwyl. Roedd pwysedd ei gwaed yn rhy isel meddai un o'r nyrsys, ond gwyddai Gwen nad oedd honno'n dweud y cyfan, heb sôn am galon y gwir wrthi. Yn ei hunigrwydd a'i hofn, ni allai Gwen oddef bod yn yr ysbyty, ond daeth ei chwaer ati i'w chysuro ac i ddweud ei bod hi'n rhy wan i gael ei symud eto. Teimlai Gwen yn isel ei hysbryd a synhwyrai bod angau yn stelcian o'i chwmpas ac yn aros am gyfle i'w chipio. Yna, heb air o ragymadrodd, gofynnodd i Mary—'Wyt ti'n meddwl y bydd Trevor yn debyg i Edwart?'

'Nag ydw.'

Yna dyma hi'n gofyn cwestiwn arall a fu'n pwyso ar ei meddwl ers tro byd—'Wnei di ddweud wrtho i beth sy'n bod ar Edwart 'te?'

'Dwyt ti ddim yn gw'pod?' meddai Mary mewn syndod.

'Nag ydw.'

'Mae fe'n *schizophrenic*,' meddai'n dawel.

A dyna hi'n gwybod am y tro cyntaf erioed. Roedd pawb arall yn gwybod ond hyhi. Roedd arni ofn gofyn a doedd neb wedi meddwl egluro. Doedd neb erioed wedi trafod y peth yn agored. Roedd yn destun diofryd, gwaharddedig, tabŵ. A nawr dyma hi'n dysgu'r gwirionedd o'r diwedd, a hithau ar drothwy'r hanner cant.

Mae hen ddyn yn dod ar y bws fraich ym mraich â menyw yn ei thridegau. Yn ei drigeiniau y mae e ond gallai fod ddeng mlynedd yn hŷn. Mae'n amlwg mai cariadon ydynt ac nid tad a merch. Mae e wedi'i wisgo'n daclus—llodrau llwyd, siaced newydd, tei coch, sgidiau'n disgleirio, dannedd gosod yn fflachio, *toupée* wedi'i sodro'n sownd ar ei gorun. Mae hi'n gwisgo côt ffwr ffug, sodlau peryglus o uchel, tenau fel picellau, ei gwallt yn adeiladwaith cywrain ar ei phen, clustlysau'n hongian yn drwm o'i chlustiau ac o'r braidd nad ydynt yn cyffwrdd â'i hysgwyddau, a minlliw coch fel clais ar ei gwefusau. Maen nhw'n nabod llawer o bobl eraill ar y bws ac yn eu cyfarch yn swnllyd a llawen. Daw llawer o hwyl a chwerthin i'w canlyn.

Mae Gwen yn gwneud ei gorau glas i beidio â gweld bai ond ni all lai na theimlo bod yr uniad yn ddigrif-ddoniol os nad yn chwerthinllyd. Dyw hi ddim yn licio meddwl bod golwg druenus ar y ddau. Mae'n amlwg pam y mae e'n ceisio gwrthsefyll henaint—er mwyn y fenyw ifanc. Ond pam y mae honno wedi'i ddewis ef, o bawb? Neb arall yn ei ffansïo hi—ond mae hi'n eithaf deniadol yn ei ffordd. Efallai'i fod e'n gyfoethog—ond os felly pam y dewisant deithio ar y bws yn hytrach nag yn ei gar ei hun neu mewn tacsi os mynd i yfed y maen nhw? Na, mae'n amlwg fod cwlwm digon diffuant rhyngddynt. Mae hi'n gafael yn ei fraich yn serchus; mae hi'n hapus ac y mae yntau'n hapus. Mae'n ieuad rhyfedd efallai. Ond onid yw pob perthynas yn rhyfedd, meddylia Gwen. Cyfrwng hollol afresymol a thwp ac anhrefnus o ddod â phobl at ei gilydd yw rhyw a serch.

Mae'r bws yn symud eto.

Roedd hi wedi newid. Roedd ei hwyneb wedi newid. Nid olion amser, nid henaint anamserol o gynnar yn unig oedd yn gyfrifol am y gwahaniaeth newydd hwn eithr rhywbeth dyfnach, rhywbeth mewnol, sef ei hymwybyddiaeth o'i meidroldeb ei hun. Roedd wedi gweld claddu ei thad pan oedd hi'n ddim ond merch fach; collodd ei mam pan oedd hi'n wraig ifanc; er yn gynnar iawn bu'n ymwybodol o angau ac o freuder einioes. Ond rhywbeth a oedd yn digwydd i bobl eraill oedd marwolaeth. Ond nawr roedd gan angau droedle yn ei chorff.

Cawsai ysgytiad ofnadwy pan fu farw Tudful yn y gwely nesaf yn yr ysbyty, a hithau'n wraig weddol ifanc, yn fam ifanc yn gadael ei phlant. Be' fasai'n digwydd i Trevor hebddi hi a beth am Edwart?

Roedd hi'n dod yn agos at oedran Mam. Roedd hi wedi hen oroesi oedran Tada. Er ei bod hi'n mynd i'r capel yn gyson, yn adrodd y gweddïau, yn canu'r emynau, yn gwrando ar y pregethau (er nad oedd yn deall pob un o'r pregethwyr) doedd hi ddim yn siŵr yn ei chalon beth oedd yn digwydd ar ôl marwolaeth. Soniodd am ei hamheuon wrth Bopa Lisi unwaith, 'Does neb wedi dod 'nôl i weud wrthon ni,' meddai. Fawr o gysur. Ofnai'r tywyllwch a'r diddymdra tragwyddol. Peth ofnadwy oedd meddwl am dragwyddoldeb. Byw, ac yna bod yn ddim am byth, düwch yn ymestyn ymlaen ac ymlaen am yfory ac yfory ac yfory yn ddiderfyn.

Roedd popeth yn ei hela i lefain. Yn y capel roedd un o'r emynau, un o hoff emynau Mam, wedi peri i'r dagrau lifo'n lli. Mewn gweledigaeth, yng nghanol yr emyn, gwelsai ei mam yn pydru yn ei bedd. Bu'n rhaid iddi adael y cwrdd ac ymollwng i'w thristwch.

Pe dywedai Robert unrhyw air ag ynddo arlliw o gasineb dechreuai Gwen lefain y glaw.

Doedd Trevor ddim yn deall beth oedd yn bod arni.

'Pam wyt ti a Dad yn cysgu mewn stafelloedd ar wahân?' gofynnodd yn ddi-feddwl-ddrwg unwaith.

'Mae dy dad yn rhy rwyfus yn y gwely,' meddai, ac yna yn hytrach na siarad â'r bachgen, yn lle treio dal pen rheswm ag ef, treio esbonio pethau wrtho fe, rhoi ateb twp fel'na wnaeth hi a dechrau crio a'i adael mewn penbleth.

Ni allai Gwen reoli'i dagrau ar y pryd. Deuent heb eu cymell yn groes i'w hewyllys weithiau.

Beth oedd hi wedi'i wneud yn ystod ei bywyd? Priodi. Pwy oedd ei gŵr? Doedd hi ddim yn ei nabod. Pam oedd hi wedi'i rhwymo'i hunan wrth ddyn fel'na mor gynnar, mor fyrbwyll? Ofn mae'n debyg, ofn bod ar ei phen ei hun. Wedi'r cyfan doedd wyth ar hugain ddim yn gynnar iawn (doedd hi ddim yn hen iawn chwaith, ond wrth gwrs doedd hi ddim yn gwybod hynny ar y pryd) ofn bod heb gynhaliaeth oedd arni. Ond doedd hi erioed wedi poeni am bethau fel'na cyn i Robert ymddangos, erioed wedi meddwl bod dim byd o'i le ar fod ar ei phen ei hun. Daeth y cyfle i gael gŵr, y cyfle i briodi fel pawb arall, ac roedd hi wedi achub ar y cyfle, dyna i gyd. Mae pob cyfle yn demtasiwn, hyd yn oed pan fo'n cynnig rhywbeth na ddeisyfir.

Yn achlysurol yn ystod ei phriodas roedd hi wedi ystyried tynged hen ferched dibriod â chymysgedd o genfigen ac edmygedd. Y rheidrwydd i warchod rhyw berthynas, eu mamau gan amlaf, oedrannus neu fethedig oedd wedi rhwystro sawl un rhag cymryd gŵr. Dyna Meg drws nesa ond dau a fu'n gofalu am ei mam am flynyddoedd tra bu ei brawd yn gweithio a chael hwyl yn Llundain. Edrychid ar y menywod hyn gyda rhywbeth tebyg i dosturi, yn enwedig ar ôl i'w mamau farw. Dyna Elsi a oedd yn mynd i Garmel er enghraifft a adawyd ar ei phen ei hun wedi iddi fod yn gwarchod ei mam yn dda nes ei bod yn fenyw orweiddiog a chrintachlyd yn ei nawdegau. Erbyn marwolaeth ei mam roedd Elsi'i hun yn ei thrigeiniau, yn brin o ffrindiau, gan iddi fod yn gaeth i'r tŷ mor hir oherwydd ei mam. Ond i Gwen nid oedd y menywod hyn yn rhai i dosturio wrthynt. Gwyddai fod y berthynas rhwng mam a merch yn ddigon hapus ac yn well na llawer o'r priodasau y gwyddai amdanynt, gan gynnwys ei phriodas ei hun.

Ond roedd merched eraill wedi penderfynu peidio â phriodi. Merched o gymeriad cryf oedd y rhain bron heb eithriad: yn athrawesau ac yn nyrsys gan amlaf. Edrychid arnynt, wedi cael eu cefnau, gyda dirmyg, yn enwedig gan ddynion. Byddai rhai o'r gwragedd yn cael hwyl am eu pennau weithiau hefyd.

Roedd 'na ddwy hen ferch yn byw yn un o dai mawr Bronsiencyn Terrace, y naill wedi bod yn fetron mewn ysbyty mawr a'r llall wedi bod yn brif-athrawes. Roedd y gyn-fetron yn fenyw garedig iawn, yn dipyn o ledi a allai siarad Saesneg y Saeson gorau, ond yn gyfeillgar ac yn barod i wenu a chyfarch rhywun. Ond roedd y llall, y gyn-athrawes, yn hen sgeran surbwch ddi-wên ac yn gas wrth blant. Gwisgai siacedi a throwsys a *beret* ar ei phen a smygai sigarennau costus drewllyd. Er eu bod yn bâr mor hynod o od ac yn chwerthinllyd o ystrydebol, ac er ei bod yn eu hofni nhw ryw ychydig ac yn ddigon balch o drefn yr ardal fel esgus i'w cadw o hyd braich, yn ddirgel, yn ei chalon roedd Gwen yn eu hedmygu nhw'n fawr iawn.

Ond roedd yn well ganddi'r hen Bopa Lisi nag unrhyw ferch ddibriod arall yn y cylch. Doedd neb wedi'i rhwystro rhag priodi. Roedd hi'n greadur rhy annibynnol i gael ei rhwystro rhag gwneud unrhyw beth yn groes i'w hewyllys. Roedd hi wedi dewis bod ar ei phen ei hun ar hyd ei hoes, ac wedi'i chynnal ei hunan drwy weithio mewn siop ddillad yn y dref. Daeth yn gymeriad adnabyddus yn y fro er gwaethaf ei safiad. Roedd pawb yn ei charu, dyna pam roedd pob un o'r plant yn ei galw hi'n 'Bopa'. Dysgai dosbarth o blant yn yr Ysgol Sul, ac roedd pawb yn y cylch yn ei nabod hi. Ychydig cyn iddi farw crybwyllodd Gwen ei hedmygedd ohoni, ond y cyfan a ddywedodd hi oedd 'Dwyt ti ddim yn gw'pod 'n stori i gyd, nag wyt ti?'

Teimlai Gwen weithiau, yn enwedig pan gofiai am Bopa Lisi, ei bod hi'i hun yn ferch ddibriod wrth natur, ac y gallasai fod wedi byw ei bywyd ar ei phen ei hun heb ŵr. Mewn geiriau eraill roedd hi'n difaru priodi. Ond roedd hi wedi cael y profiad o fod yn fam ac er iddi gael trafferth i glosio at ei phlentyn ar y dechrau gwyddai erbyn hyn mai dyna brofiad pwysicaf ei bywyd. Allai hi ddim dychmygu'i bywyd heb ei phlentyn. Ar y llaw arall ni châi anhawster i ddychmygu bywyd heb ei gŵr.

Ymhen ychydig o flynyddoedd wedi'i thriniaeth yn yr ysbyty llwyddodd i oresgyn y pyliau o dristwch ac iselder ysbryd du hwn i bob pwrpas pan ddigwyddodd rhywbeth arall i'w bwrw hi'n ei hôl i'r pydew unwaith eto, am dipyn beth bynnag.

Bu'n golchi dillad ac yn yr ardd roedd hi'n eu hongian i sychu pan alwodd ei chymdoges Beti dros y wal.

'Gwen! Mae galwad ffôn iti!'

Aeth ofn drwy'i chalon fel mynawyd. Gwyddai na fyddai neb yn ffonio'i chymdogion, yr unig bobl yn y stryd â ffôn ganddynt ar y pryd, pe na buasai ganddynt neges o bwys. Wrth iddi gerdded i waelod yr ardd ac allan drwy'r drws cefn, i mewn drwy ddrws cefn ei chymdogion, ar hyd eu gardd hwy ac i mewn i'r tŷ drws nesa, ceisiai ddyfalu beth yn y byd oedd yn bod a chyda'i choesau'n wan o dani fe'i paratôdd ei hunan ar gyfer y gwaethaf. Trevor? Na, deuai rhywun yn unswydd o'r ysgol. Ei gŵr? Na, deuai rhywun o'r gwaith. Roedd gwraig Daniel yn dost o hyd; bu gwraig Alun yn yr ysbyty yn ddiweddar. Edwart?

Cododd y ffôn—clywodd y llais Saesneg yna—llais George oedd ar y pen arall. Mary. Roedd ei chwaer Mary wedi marw, wedi cael strôc arall ac wedi marw.

Aeth popeth yn ddu arni.

Mae'r bws wedi stopio mewn lle tywyll iawn. Mae Gwen yn edrych drwy'r ffenestri ond yn methu gweld dim, dim golau hyd yn oed yn y pellter. Mae Gwen yn sylweddoli hefyd nad oes neb arall ar y bws ar hyn o bryd ac eithrio'r gyrrwr ond all hi ddim ei weld ef oherwydd ei bod yn eistedd y tu ôl iddo ac yntau'n eistedd yn ei gaban. Teimla Gwen yn ynysiedig, mewn düwch oer. Gwêl adlewyrchiad ohoni hi'i hun yn y gwydr. Hen wraig mewn dillad di-raen, hen fenyw fach dlawd, gyffredin. Gwreigan ar ei phen ei hun.

Ar hyd ei hoes cawsai'r argraff fod pobl yn symud i ffwrdd oddi wrthi. Dim gwahaniaeth pa faint roedd hi'n caru rhywun. Doedd cariad ddim yn ddigon i gadw neb. Yn gyntaf aeth Tada, ac yna Mam; yna aeth ei brodyr a'i chwaer i Loegr i fyw a chael eu gweddnewid gan iaith na fuasai'n rhan bwysig o'u plentyndod. Cafodd ei brawd, yr un agosaf ati, ei ddwyn i'r ysbyty meddwl. Ond yn awr roedd hi'n dechrau derbyn y ffaith ei fod e wedi ymadael cyn iddo gael ei ddwyn ymaith. Roedd ei gŵr wedi troi'n ddieithryn bron yn syth ar ôl iddyn nhw briodi ac roedd e wedi cilio a chilio ymhellach byth wedyn. Ac yn goron ar y cyfan bu farw ei chwaer. Er ei bod yn byw ymhell i ffwrdd, buasai rhyw linyn cyswllt rhwng eu calonnau. Roedd y ddwy wedi addunedu i weld ei gilydd yn aml felly doedd y pellter rhyngddyn nhw erioed wedi ymddangos yn ddiadlam. Yn awr roedd hithau wedi mynd. Ac roedd ei mab ar fin mynd i ffwrdd i goleg. Roedd hi wedi rhag-weld ei ymadawiad anochel. Roedd rhan ohoni'n falch o'i weld e'n tyfu'n unigolyn cyflawn annibynnol. Ond roedd rhan arall ohoni'n drist iawn. Roedd Gwen wedi gwylio Trevor yn tyfu gan ddal ei gwynt fel petai, yn ei weld e'n debyg i Edwart ym mhob ystum a gweithred. Ond fel y mae pethau'n digwydd, roedd e'n debycach i Alun yn y pen draw; yn alluog ac yn fywiog a chytbwys ei feddwl.

Teimladau cymysg felly a âi drwy'i meddwl wrth iddi bacio pethau ar ei gyfer er mwyn iddo gael mynd i ffwrdd.

Doedd hi erioed wedi ceisio rhwystro neb ar wahân i Edwart ond roedd hwnnw'n wahanol. Doedd e ddim eisiau mynd. Roedd Mam wedi bod yn aros ac yn disgwyl marw i gael dianc rhag ei phoenau. Roedd Tada a Mary wedi cael eu cipio. Roedd ei gŵr a'i brodyr eraill, ac yn awr ei mab wedi dewis ymbellhau. Roedd yn rhaid i Edwart dorri'i enw ar ffurflen i ddangos ei fod e'n dymuno cael mynd i'r ysbyty meddwl, ond wedi cael hyn ganddo roedd e wedi cicio a strancio, wedi cnoi a chrafu, wedi gweiddi a llefain, wedi gafael am y drysau ac wedi crafangio'r muriau. Roedd hi wedi sefyll rhyngddo a'r dynion o'r ysbyty ond daeth Robert a'i frawd a gafael yn ei breichiau a'i thynnu yn ôl a'r cyfan y gallai hi'i wneud oedd gwylio'r dynion hyn yn trin ei brawd fel pe bai'n ddyn lloerig, ei drin fel anifail heb deimladau. Roedd ofn arno, dirfawr ofn.

Doedd hi ddim wedi ceisio dyfalu yn aml beth yn union oedd yn digwydd ym mhenglog Edwart, ond synhwyrai fod rhyw gynnwrf yno a oedd y tu hwnt i'w reolaeth. Oni bai am hynny, mae'n debyg, buasai yntau wedi dewis mynd i ffwrdd a'i gadael hi fel y gwnaeth pawb arall.

Mae hi'n benderfynol o gadw ar ddihun am weddill y ffordd. Ond does dim llawer o wahaniaeth rhwng digwyddiadau diweddar ac atgofion. Y presennol a'r gorffennol. Mae'r bws yn symud eto drwy strydoedd sy'n llawn bywyd ac mae Gwen yn teimlo'n ddiogelach o lawer. Ond dyw hi ddim yn gyfforddus fel y buasai hi mewn car.

Roedd hi wedi bod i weld Edwart ac roedd Robert yn ei gyrru hi tua thre yn y car ac roedd hi wedi cyfri'i bendithion. O leiaf roedd Robert wedi bod cystal â'i air ac wedi mynd â hi i weld Edwart yn gyson ac yn aml ar hyd y blynyddoedd. Credai Gwen fod ei hymweliadau yn mynd yn bwysicach wrth iddi heneiddio. Roedd ei brodyr yn heneiddio ac nid oedd modd iddynt deithio i weld Edwart mor aml. Ac roedd hi'n meddwl ei bod hi'n fwy dibynnol ar Edwart nawr bod Trevor i ffwrdd mewn coleg a Mary wedi marw. Yn ystod yr ymweliadau hyn câi amser i roi sylw, ei holl sylw i Edwart ac i feddwl amdano ac roedd arni eisiau'i weld e a chwrdd ag ef fel ffrind.

Roedd Edwart ei hun yn dawelach ar y cyfan. Tebyg mai'r cyffuriau oedd yn gyfrifol am hynny.

Doedd e ddim yn hoff o siarad. Weithiau byddai'n chwerthin neu'n mynd yn grac ond roedd hi'n hen gyfarwydd â'i ymddygiad.

Cynrychiolai personoliaeth Edwart rywbeth a oedd wedi aros yn ei unfan, rhan o'i phlentyndod. Ei brawd bach a welai o hyd er ei fod yn hen ŵr bellach, ei wallt prin yn llwyd, ei wyneb yn welw a phantiog, ei geg yn gwbl fantach. Eisteddai Gwen wrth ei ochr yn union fel yr arferai ei wneud pan oedd hi'n blentyn.

Deuai Gwen â brechdanau, siocledi, te a bisgedi ar yr ymweliadau hyn. Roedd Edwart wrth ei fodd yn bwyta. Sugnai'r brechdanau meddal yn ei ben di-ddant.

Weithiau dangosai Gwen luniau iddo.

'Dyma lun o Trevor. Mae fe'n mynd i goleg nawr.'

'Ddim yn nabod e.'

'Wrth gwrs dy fod yn ei nabod e. 'Mab i yw e. Ma' fe wedi tyfu.'

'Ie,' meddai, tipyn o oleuni atgof yn gwawrio arno, 'mae e'n ddyn. Plentyn oedd e.'

Yn awr roedd hi ar ei ffordd tua thre, i'r tŷ y bu hi'n byw ynddo ar hyd ei hoes. Yno y cafodd Edwart ei fagu. Doedd Edwart ddim yn gwybod am ddim ond ei gartref a'r hen ysbyty—ac mae'n debyg ei fod wedi anghofio'i gartref erbyn hyn.

Doedd e ddim yn debyg i'r syniad ystrydebol o'r *schizophrenic* gyda phersonoliaeth ranedig heb sôn am ddwy bersonoliaeth. Prin bod ganddo bersonoliaeth o gwbl ar ôl oes mewn ysbyty ar gyffuriau soporiffig.

Ychydig cyn iddyn nhw gyrraedd y noson honno sylweddolodd Gwen fod Robert yn gyrru'n araf. Er ei bod yn eistedd wrth ochr ei gŵr yn y car, anaml y troai i edrych arno. Pan droes ei phen y noson honno aeth ias drwy'i chorff pan welodd mor lwyd oedd wyneb Robert; roedd ei wefusau'n las tywyll.

'Oes rhywbeth yn bod?'

'Dwi ddim yn teimlo'n iawn,' meddai.

'Beth yw e?'

'Poen yn fy mraich fel y ddannodd.'

'Wyt ti'n mynd i fod yn iawn?'

''Smo ni'n bell nawr.'

Doedd hi ddim yn bell ond bu rhan olaf y siwrnai yn hir iawn y noson honno. Wrth gwrs doedd Gwen erioed wedi dysgu gyrru.

Cyrhaeddwyd y tŷ, rywsut, yn saff. Aeth Robert i'w wely'n syth a galwodd Gwen am y doctor.

Cawsai Robert drawiad ar ei galon. Roedd e wedi heneiddio yn y car o flaen ei llygaid. Ei drawiad cyntaf. 'Dim rhagor o sigarennau, dim rhagor o ddiod, a chymryd pethau'n dawel,' meddai'r doctor.

Dros nos daeth hi'n nyrs yn ogystal â chadw ei swydd arferol o fod yn forwyn. Gwelai'i hunan yn gweini arno, a'r blynyddoedd yn ymestyn o'i blaen i'r dyfodol. Yfory ac yfory ac yfory. Ei dyletswydd hi'n awr oedd ei garu. Doedd dim dewis arall ganddi. Ond pwy oedd e? Y dyn claf yn y gwely yn ei chartref. Doedd hi'n gwybod y nesaf peth i ddim amdano. Ni ellid dweud iddynt ffraeo llawer. Dyn o ychydig eiriau oedd ei gŵr; doedd ei eirfa ddim yn caniatáu iddo ffraeo. Doedd ei sgwrs ddim yn gyfoethocach na sgwrs ei brawd yn yr ysbyty meddwl.

Roedd e wedi mynd yn ddieithryn yn yr un tŷ â hi wrth rannu'r un bywyd a'r un mab. Doedd dim Cymraeg rhyngddyn nhw. Dim siarad o bwys, dim siarad am deimladau, syniadau, dim rhannu cyfrinachau, dim rhannu hwyl, dim rhannu ofnau. Roedd y syniad yn chwerthinllyd erbyn iddi feddwl amdano—hyhi a Robert yn siarad am bethau fel'na.

Ar ôl clywed ei fod yn dost daeth ffrindiau o'r ffatri ac o'r dafarn yr arferai Robert fynd iddi bob nos Wener, pobl nad oedd Gwen erioed wedi clywed amdanynt heb sôn am eu gweld o'r blaen. Roedd ganddo gylch cymdeithasol na wyddai hi ddim amdano. Sylweddolodd am y tro cyntaf pa mor affwysol o ddwfn oedd ei hanwybodaeth ohono. Ond ddaeth yr un fenyw i chwilio amdano. Roedd e wedi bod yn ffyddlon iddi ar hyd y blynyddoedd. Ond nid adlewyrchiad o'i gariad oedd hyn chwaith. Mynnai Gwen gredu nad oedd ganddo mo'r egni angenrheidiol i fod yn anffyddlon.

Am wythnosau bu'n dost, ychydig fisoedd efallai. Yna aeth e'n ôl i'r gwaith yn fuan wedyn, yn rhy fuan efallai. Roedd y tŷ yn wag a'i dwylo'n segur hebddo nes iddi ddod yn gyfarwydd â'r hen ffordd unwaith eto.

Ond doedd e ddim yn fodlon rhoi'r gorau i'w noson gyda'r bois yn y dafarn, y nos Wener anghyfnewidiol, ei 'unig noson o ryddid,' meddai, fel petai hi'n ei rwystro rhag mynd ma's yn amlach. A doedd e ddim yn fodlon rhoi'r gorau i smygu yn gyfan gwbl chwaith. Felly fe wnaeth gytundeb â'r doctor i smygu cetyn yn lle sigarennau. Doedd hi ddim yn deall y gwahaniaeth, 'fel newid caban ar y *Titanic*,' meddai.

Mae 'na hen ddyn ar y bws nawr, sy'n siarad â'r gyrrwr ac yn smygu gan chwythu cymylau o fwg glas i'w chyfeiriad. Dywed wrth y gyrrwr ei fod yn saith deg a dwy. Mae e'n diffodd y tân yn ei getyn ac yn tynnu *mouth-organ* allan o boced ei siaced a dechreua'i chanu—alawon henffasiwn fel *Danny Boy, The White Cliffs of Dover, We'll Keep a Welcome*. Yn wir nid oes taw arno ac nid oes neb yn cymryd sylw ohono. Ar y dechrau mae Gwen yn falch o weld rhywun hapus sy'n dod â thipyn o lawenydd i'w ganlyn ac adloniant ar y bws, ond erbyn hyn mae e'n dechrau'i blino hi a buasai'n dda ganddi pe bai'n rhoi taw ar ei fiwsig a'i sirioldeb gwneud.

Daeth llawer o bobl i'r angladd; ei brodyr, Daniel ac Alun, ill dau yn wŷr gweddw erbyn hyn; teulu Robert, wrth gwrs, sef ei frawd Ffred a'i wraig, a Menna, chwaer Robert a'i gŵr a'u meibion a'u gwragedd a'u plant hwythau. Daeth ffrindiau Robert a'i gydweithwyr o'r ffatri hefyd, a chymdogion di-rif. Mwy o bobl ddieithr nag a ddaeth i'w weld pan oedd e'n dost. Er mawr syndod iddi bu'i gŵr yn ddyn poblogaidd iawn; roedd hyn eto yn ddatguddiad iddi.

Daeth Trevor o Lundain, lle'r oedd e'n byw ac yn gweithio, i ofalu am yr holl drefniadau. Daeth â'i ffrind Tony, dyn ifanc, hynaws iawn.

Doedd neb yn disgwyl iddi wneud dim ond cynhyrchu dagrau a bod yn alarus. Ond yn ei chalon roedd hi'n cael trafferth i ddangos y prudd-der priodol. Dyma'r unig dro iddi orfod ffugio galar mewn claddedigaeth. Plygai'i phen gan orchuddio'i llygaid â'i nisied a gobeithiai ei bod yn ddarlun o wraig weddw yn ei dillad duon. Roedd pwysau arni i ymddwyn mewn ffordd arbennig; pawb yn disgwyl iddi chwarae rhan y wraig dan brofedigaeth. Ond roedd hi'n edrych ymlaen at weld diwedd y cynhebrwng. Roedd hi wedi blino ar gael pobl yn galw ac yn dweud, 'Ga' i wneud rhywbeth?' Pawb yn cynnig yr un caredigrwydd penagored, diamod. Ond neb yn disgwyl iddi ddweud, 'Wel ie, cewch chi wneud yr hyn a'r llall imi.'

Ar achlysur marwolaeth y mae pawb yn actio; y mae gan bawb ei sgript hyd yn oed. Y rhan fwyaf yn actio'r un rhan sef yr Estynwyr Cydymdeimlad a Chymorth; y lleill yn actio'r Teulu Agos neu'r Prif Alarwyr. Dyna Menna, ei chwaer-yng-nghyfraith, yn llefain rhaeadrau a'i chalon ar dorri, ei hwyrion bach yn gwneud eu gorau glas i'w chysuro. 'Paid â chrio, Mam-gu'. Sut oedd hi'n gallu peri i gymaint o ddŵr lifo o'i llygaid? A hithau heb fod ar gyfyl Robert ers blynyddoedd, hyd yn oed pan oedd e'n dost. Menna yn sicr a gâi'r wobr am yr actores orau yn yr angladd. Pan gyrhaeddodd hi gan daflu'i breichiau am wddw Gwen, er mawr syndod iddi, a gafael amdani'n llipa, ei hunig fwriad oedd bwrw ei chwaer-yng-nghyfraith i'r cysgodion drwy alarnadu yn uwch ei chnul. Os disgwyl cael tipyn o arian ar ôl ei brawd roedd hi, fe fyddai hi'n cael tipyn o siom. Doedd e ddim wedi gwneud ewyllys hyd yn oed oherwydd nad oedd ganddo'r un geiniog goch i'w gadael i neb. Doedd neb yn nheulu Gwen erioed wedi gwneud ewyllys; roedd yn draddodiad i beidio.

Doedd Trevor ar y llaw arall ddim yn cogio cwynfan na chymryd arno fod yn bruddglwyfus. Roedd e'n hollol hunanfeddiannol a'i lygaid yn sych ac yn glir. Roedd e wedi trefnu'r cyfan yn berffaith. Doedd hi ddim wedi gorfod meddwl am ddim. Roedd hi'n falch ohono yn ei ddillad du. Efe oedd y mwyaf didwyll ohonyn nhw i gyd. Ni fu erioed yn agos iawn at ei dad felly doedd e ddim yn mynd i ffugio galar. Ar y llaw arall, roedd e'n ddigon parod i ddangos y parch priodol.

Pan ollyngwyd arch ei gŵr i'r ddaear bu ond y dim iddi ollwng ochenaid o ryddhad. Teimlai fod pwn mawr wedi'i gymryd oddi ar ei hysbryd. Wrth edrych i mewn i'r bedd, er ei bod yn teimlo'n euog o gael teimladau mor anaddas, gwelodd yn agor o'i blaen fywyd newydd gyda mwy o ryddid ac amser a llawenydd a hunan-barch.

Wrth ei hochr roedd ei chwaer-yng-nghyfraith yn smalio llewygu.

Mae dau ddyn ifanc wedi dod ar y bws. Maen nhw'n lân ac yn drwsiadus. Gwisgant siwtiau tywyll. Y mae eu gwallt wedi ei dorri'n fyr. Y maent yn annaturiol o daclus. Maen nhw'n siarad gyda'i gilydd ac mae Gwen yn clywed acenion American-aidd. Yna mae hi'n gweld eu bod nhw'n cario Beiblau dan eu ceseiliau. Na, nid mynd i'r swyddfa'r amser hwn o'r nos y maent; cenhadon Mormonaidd neu Dystion Jehofa ydynt ar eu ffordd i gwrdd hwyrol yn un o adeiladau newydd y naill enwad neu'r llall sy'n britho'r cymoedd. Mae Gwen wedi cwrdd â dynion ifainc fel y ddau hyn; maen nhw'n mynd o ddrws i ddrws gan geisio argyhoeddi pawb mai ganddynt hwy y mae'r Gwirionedd—gydag 'G' fawr bob tro—a bod pawb arall ar y llwybr llydan sy'n arwain i ddistryw. Maen nhw'n creu argraff dda, gan eu bod mor lân, mor daclus, a'u hynawsedd parod fel golau trydan. Ac maen nhw'n gwybod eu Beibl yn drylwyr ac ni all neb ragori arnynt am eu brwdfrydedd.

Un tro daeth dyn a menyw ifanc o un o'r enwadau efengylaidd hyn at ei drws. Doedd hi ddim yn gallu cael gwared arnynt felly dyma hi'n gofyn iddyn nhw ddod i mewn i'r tŷ; roedd hi'n oer yn siarad ar y rhiniog. Buon nhw'n siarad â hi am weddill y prynhawn. Roedd Gwen yn falch o'r cwmni i ddechrau. Yna dywedodd y fenyw ifanc rywbeth nad anghofiodd Gwen, sef ei bod hi'n barnu pob dyn wrth ei ewinedd; doedd hi erioed wedi cwrdd â dyn da ag ewinedd brwnt, meddai. Meddwl am gyflwr ewinedd Iesu Grist wnaeth Gwen, ac yntau'n saer coed.

Does neb yn sâff. Mae'r cenhadon wedi bachu mam a phlentyn bach; maen nhw'n dechrau pregethu hefyd wrth ddyn wrth eu hochr. Mae ganddyn nhw ateb syml o'r Beibl i bob cwestiwn anodd.

Dim ond unwaith yr aeth hi i Lundain i ymweld â'i mab a hynny'n fuan ar ôl iddi gladdu'i gŵr. Teimlai fel pysgodyn ar dir sych drwy gydol yr ymweliad â'r ddinas.

Daeth Trevor i'w nôl hi yn ei gar bach coch, chwim. Roedd fflat ganddo yn Clapham; roedd e'n ei rannu gyda'i ffrind Tony. Erbyn iddyn nhw gyrraedd roedd Tony wedi paratoi pryd o fwyd ar eu cyfer. Cimwch a salad a phob math o ddanteithion eraill, a gwin, peth nad oedd Gwen yn gyfarwydd ag ef. Nid oedd yn debyg i win y cymundeb o gwbl.

'Sut mae Wncwl Edwart?' gofynnodd Trevor.

'Mae'n dda iawn. Mae e'n cofio amdanat ti, ond mae e'n meddwl dy fod ti'n blentyn o hyd.'

Dangosodd Trevor y fflat iddi. Cegin fechan, stafell ymolchi, dwy stafell wely a lolfa sylweddol.

'Byddi di'n cysgu yn y rŵm fach,' meddai Trevor.

'Dwyt ti ddim wedi mynd i ormod o drafferth, gobeithio?'

'Dim o gwbl. Ry'n ni'n cadw'r stafell ar gyfer ymwelwyr beth bynnag.'

Aeth Trevor a Tony â hi i bob math o lefydd yn Llundain ac roedd hi wrth ei bodd—yr holl orielau a'r amgueddfeydd, a'r sw a'r dramâu a'r cyngherddau. Ond er bod y croeso'n ddigon twymgalon a diffuant gwyddai Gwen ei bod hi'n torri ar draws rhigolau arferol eu bywyd.

'Dy'ch chi ddim yn mynd ma's i'r holl gyngherddau 'na bob wythnos, y'ch chi?'

'Nag y'n, dy'n ni ddim yn mynd ma's yn aml a gweud y gwir.'

'Doedd dim rhaid ichi drefnu'r holl bethau hyn yn arbennig er fy mwyn i,' meddai Gwen. 'Mi fydden i wedi bod yn ddigon hapus yn mynd o gwmpas y siopau a'r strydoedd 'da chi.'

'Ro'n ni'n mo'yn dangos Llundain iti.'

'Dod yma i dy weld ti a Tony wnes i, nace Llundain.'

Wrth gwrs, drwy fynd â hi o le i le a'i chadw hi'n brysur, fel petai, doedd dim amser i gael siarad a gofyn cwestiynau. Ond doedd hi ddim wedi bwriadu holi cwestiynau.

Mae'r bws wedi cyrraedd y dref nesaf at ei thref hi.

Dyma Gomer Humphreys yn dod ar y bws. Mae e mewn cryn oedran erbyn hyn ond mae Gwen yn ei gofio fe'n grwtyn bach. Mae e'n flaenor ym Moriah. Mae e'n ei gweld hi.

'Gweni, shw mae? Ble ti wedi bod?'

'I weld 'y mrawd, Edwart.'

'O, ie, wrth gwrs, wrth gwrs. Shw ma' fe'n cadw?' Mae'r llais yn gostwng; mae tinc o gydymdeimlad yn dwysáu'r geiriau. Mae corff yr hen flaenor, hyd yn oed, yn gogwyddo tuag ati hi er mwyn pwysleisio'i ddealltwriaeth, a'i osgo'n atgoffa Gwen i'w ferch gyflawni hunanladdiad a hithau'n ddim ond pump ar hugain oed. Mae Gomer yn aelod llawn o Gymdeithas y Dioddefwyr.

'O, mae Edwart yn cadw'n dda am ei oedran,' meddai Gwen, 'chwarae teg. Mynd yn hŷn mae e serch hynny, fel pob un ohono ni, ontefe?'

'Ie wir, ie wir.' Mae Gomer yn crychu'i dalcen ac yn syllu ar lawr y bws gan obeithio darganfod yno'r moddion i gynnal y sgwrs nes cyrraedd ei stop.

'Wel, mae wedi bod yn braf dy weld ti. Dyma 'n stop i. Cofia fi at Daniel ac Alun.'

'Nos da, Gomer.'

Mor gyfarwydd iddi yw'r ardal hon. Onid yw'r holl ffordd yn gyfarwydd iddi a hithau wedi'i theithio bron bob wythnos am dros ddeugain mlynedd. Ac eto all hi ddim dweud ble mae hi ar y ffordd â'i llygaid ynghau fel y gallai Linda ei wneud.

Mae'r bws yn pasio hen gapel sydd yn wag yn awr. Mae tyllau cegrwth yn ei do a'i ffenestri, a chwyn yn gwarchod ei ddrws. Cofia Gwen fynd yno i gyrddau mawr a chymanfaoedd canu gydag aelodau eraill capel Carmel. O fewn tafliad carreg, wele gapel arall yn yr un cyflwr truenus. Yn awr mae'r bws yn pasio hen ffatri enfawr, hithau'n wag ers talwm ac yn prysur fynd â'i phen iddi. Yn y tywyllwch mae hi'n dalp mawr du â naws ddieflig yn ei chylch. Dychmyga Gwen y lle yn llawn gweithgarwch—pobl yn brysio yno'n gynnar yn y bore, yn gweithio'n galed trwy'r dydd, yn symud peiriannau, yn gwylio peiriannau'n symud, yn dal ar bob cyfle i gael seibiant, yn smygu neu'n siarad, yn treio cael tipyn o hwyl, nes i'r dynion pwysig ddod ar eu cylch i weld sut maen nhw'n gwneud eu gwaith, poeni am eu swyddi wedyn, yn gweithio'n hwyr i gael tipyn mwy o arian i gynnal teulu a thalu dyledion. Dyletswyddau pob gweithiwr yn rhan hepgorol yn y gyfundrefn o weithgareddau digynnyrch sydd yn gyfran mor fawr yng nghyllid y wlad a'r byd. Ac wrth iddo weithio mae'r gweithiwr yn gwastraffu'i amser ar y ddaear; cyflog yn gyfnewid am fywyd. Bydd popeth yn iawn ond i ddyn gael gwaith a chyflog. Dim ots pa mor ddiffrwyth a diwerth yw'r gwaith; dim ots os na fydd dim i'w ddangos ar y diwedd ond adfeilion hen ffatri yn rhydu fel corff morfil yn pydru ar draeth.

Fe fu yna adeg pan ofnai'i bod yn mynd i farw'n ifanc, ond yr oedd hi wedi goroesi'r cyfnod hwnnw. Roedd hi wedi byw yn hwy na'i mam, ac wedi osgoi'r poenau a gawsai hi (o leiaf, doedd hi ddim yn gorfod teimlo'r poenau i'r fath raddau, gan ei bod yn cael tabledi lleddfu poen nad oeddynt ar gael yn ystod dyddiau ei mam). Ar un adeg credai fod angau yn ei dilyn i bob man ac mae hi a ddelid nesaf yn ei rwydau. Yn awr gallai edrych yn ôl ar y cyfan. Gwyddai na fyddai hi'n byw yn dragywydd ond teimlai fod bywyd wedi cyrraedd rhyw wastad tangnefeddus.

Roedd Daniel wedi symud i Borthcawl fel y gallai ymweld ag Edwart yn haws. Er ei fod yn bedair ar ddeg a phedwar ugain roedd e'n dal i yrru car.

Roedd Alun yn bedwar ugain ac yn byw ar ei ben ei hun ym Mryste. Âi ei blant i'w weld e'n fynych ond roedd ei iechyd yn fregus; cawsai glefyd y siwgr a cholli ei olwg yn raddol felly roedd e'n gaeth i'w gartref.

Roedd Edwart wrth gwrs yn dal i fod yn yr ysbyty. Roedd yn wannach, bu'n dost sawl gwaith ond daliai i frwydro.

Pob un ohonynt yn hen. Yn rhyfedd iawn teimlai Gwen fod angau wedi ymbellhau, ac eto ni allai lai na synhwyro ei bod hi, a hwy yn sefyll yn ymyl dibyn, neu'n hongian wrth edefyn brau, neu'n aros nes y cwympai'r domino cyntaf a'r lleill i gyd yn ei sgil. Doedd hi ddim eisiau marw a gadael Edwart ar ei ben ei hun, a theimlai'n euog o feddwl fel hyn.

Mewn ffordd roedd hi'n dymuno gweld Edwart yn marw o'i blaen hi. Teimlai fod Daniel ac Alun yn agos at y diwedd, ac eto teimlai fod olwynion haearn ynddyn nhw. Am a wyddai, gallai hi farw o flaen y tri ohonynt. Ar y naill law roedd ei hymennydd yn gwrthod meddwl am farwolaeth, ar y llaw arall, roedd hi'n gorfod ymbaratoi ar gyfer hynny. Yn y cyfamser, doedd dim byd arall amdani ond mynd yn ei blaen, orau y gallai.

Roedd hi'n dal i fynychu Carmel yn ffyddlon. Ond peth trist iddi hi oedd gorfod bod yn un o'r dyrnaid o hen fenywod yn eu saithdegau a'u hwyth-degau a ymdrechai i gynnal cyrddau mewn hen gapel mawr, llaith, drafftog. Roedd hi wastad wedi bod â rhyw ragfarn yn erbyn hen bobl; nawr roedd hi'n un ohonynt. Roedd hi'n dal i fynd i'r hen gapel er cof am ei mam; o ran dyletswydd; er mwyn clywed tipyn o Gymraeg (yn ogystal â'r hyn a glywai pan fyddai'n siarad â hi ei hun). Ond credai fod cadw capel yn bwysig. Roedd y capel yn rhoi argraff o ddwyfoldeb, ac i raddau yn cynrychioli'r anfawrolдeb nad yw'n bod.

Mae hi'n agos at y safle olaf. Mae Gwen yn ymbaratoi i godi, yn hel ei chôt a'i bag ac yn symud tuag at ymyl y sêt. Mae'r elfen o ddisgwyl yn chwyddo. Pasia'r bws lawer o dai cyfarwydd. Dyna dŷ ei chyfeillles Mair.

Mair oedd ei ffrind. Ffrind ffyddlon. Byddent yn cwrdd bob dydd ac yn mynd am dro naill ai i'r dre neu i'r parc pan fyddai'r tywydd yn fwyn; dro arall caent de yn nhŷ'r naill neu'r llall pan fyddai'r tywydd yn gas.

Roedd hi'n nabod Mair ers pan oedd hi'n ifanc oherwydd bod y ddwy ohonynt wedi byw yn yr un dre ar hyd eu hoes. Dim ond dwy stryd oedd rhwng cartref Mair a'i chartref hi felly roedd yn ddigon hawdd iddi bicio draw, neu i Mair ddod i ddisgwyl amdani hi. Ond tan yn ddiweddar, nabod ei gilydd o ran golwg yn unig—nabod ei gilydd o bell ac i gyfarch ei gilydd ar y stryd roedden nhw, dyna i gyd, nid nabod ei gilydd fel ffrindiau. Ffrind Gwen ers talwm oedd Ruth a bu honno farw tua saith mlynedd ynghynt, ac roedd gan Mair ei ffrindiau'i hun. Ond ar ôl colli'u gwŷr tua'r un pryd dyma nhw'n dechrau mynychu cyfarfodydd yr henoed yn y dref, a thrwy weld ei gilydd yn aml dyma nhw'n dechrau siarad. Dechrau mynd i dai'i gilydd. Rhannu cyfrinachau, ac yna fe flodeuodd y cyfeillgarwch puraf a chadarnaf a brofodd Gwen erioed.

Byddai Mair yn ei ffonio bob dydd, ychydig ar ôl un o'r gloch, hynny yw yn fuan ar ôl cinio, i drefnu cwrdd yn y prynhawn. Byddent yn treulio'r prynhawniau gyda'i gilydd yn hel atgofion tan ddeg o'r gloch yn yr hwyr weithiau. Ar ôl iddynt ymadael â'i gilydd byddai un o'r ddwy yn ffonio'r llall i weld a oedd hi wedi cyrraedd ei chartref yn sâff ac i ddymuno nos da iddi.

Yng nghwmni Mair byddai Gwen yn chwerthin drwy'r amser, mwy nag a wnaethai yng nghwmni neb arall erioed. Nid oedd Mair yn eithriadol o ffraeth ond roedd ei chwmni a'i phresenoldeb yn codi'i chalon ac yn gwneud iddi deimlo'n rhyfeddol o ddedwydd bob amser. Doedd dim byd mor ddiniwed, mor ddiwenwyn, mor gydradd a digystadleuaeth ar glawr daear â'u cyfeillgarwch.

Gresynai Gwen weithiau na ddaethai'r cyfeillgarwch hwn i'w rhan ynghynt. Ond yna, gwelai iddo ddod ar yr amser priodol yn eu hunigrwydd ac yn eu henaint.

Weithiau, ar y ffôn, ar ôl diwrnod o gymdeithas felys, byddai Mair yn dweud, 'Gweld ti 'fory, os byw ac iach'. Ie, roedd bob diwrnod o hyn ymlaen yn ychwanegiad. Rhaid cyfrif a bod yn ddiolchgar am bob un ohonynt.

Mi gâi ei phroblemau ei goroesi hi. Wrth gydnabod fel hyn y ffaith ei bod yn agos at ddiwedd ei hoes, cofiai Gwen y llun o'r Ffordd Lydan a'r Ffordd Gul, ac wrth edrych yn ôl, ni allai fod yn siŵr pa un o'r ddwy ffordd yr oedd hi wedi'i chymryd. Doedd hi ddim yn ymwybodol iddi wneud nac iddi gael unrhyw ddewis yn y lle cyntaf. Bywyd digon caled, di-liw, heb fawr o hapusrwydd yr oedd hi wedi'i gael. Ond yn awr, ar ddiwedd ei hoes, roedd hi wedi cyrraedd cylch o oleuni a bodlondeb yng nghyfeillgarwch Mair.

Mae'r bws yn arafu ac yn sefyll yn unswydd i adael i Gwen ddisgyn. Mae hi'n dal i fwrw glaw felly mae Gwen yn rhoi'i bagiau ar y llawr, yn tynnu cwfl plastig o'i phoced ac yn ei ddodi ar ei phen, yn ei lapio o gwmpas ei chlustiau ac yn ei glymu o dan ei gên. Yna mae hi'n plygu i godi'r bagiau. Cerdda'n araf yn erbyn y glaw, lan y twyn, croesa'r heol yn araf, troi'r cornel a dyma hi yn y stryd.

Y prif anhawster a ddaeth i'w rhan yn sgil marwolaeth ei gŵr fu'r drafferth o fynd i weld

Edwart. Doedd hi ddim yn licio mynd ar y bysiau oer anghyfforddus, yn enwedig pan fyddai'r tywydd yn oer. Ond roedd hi wedi bod cystal â'i gair ac wedi cofio am Edwart.

Neithiwr roedd hi wedi gorwedd yn ei gwely ar ddihun, yn meddwl am yr holl ffordd roedd hi'n gorfod mynd ar y bws i fynd i ymweld ag Edwart eto, yn gobeithio y byddai'r tywydd yn fwynach nag yr arferai fod ym mis Chwefror am unwaith. Roedd y gwynt a'r glaw yn curo yn erbyn y ffenestr ac yn atseinio drwy wacter yr hen dŷ. Poenid hi gan y gwynegon yn ei choesau yn ofnadwy. Er ei bod wedi cymryd tabledi i'w helpu i gysgu a thabledi i leddfu poen roedd hi'n gwbl effro. Gallai weld y stafell yn glir yn y gwyll. Treiddiai ychydig o olau i mewn drwy'r llenni tenau; golau'r lleuad neu lamp yn y stryd. Doedd dim syniad ganddi faint o'r gloch oedd hi felly cyneuodd y golau i gael edrych ar y cloc. Ar ôl i'w llygaid ymgynefino â'r golau trydan llachar a chael cip ar y cloc, gwelodd Gwen ei mam yn eistedd mewn cadair wrth ochr y gwely. Aeth hi'n oer a theimlodd ei gwallt fel hoelion yn ei phigo ar ei phen. Roedd ei mam yn eistedd yno mor glir â phe buasai'n fyw. Gwyddai Gwen taw drychiolaeth oedd yno. Doedd hi ddim wedi bod yno yn y tywyllwch, dim ond pan ddaeth y golau ymlaen yr oedd hi wedi ymddangos. Doedd gan Gwen ddim llais yn ei gwddw, dim ond talp o rew, ac allai hi ddim symud oherwydd ei braw. Yna edrychodd ar wyneb ei mam a gweld ei bod yn edrych arni'n dyner a thawel. Unwaith, pan oedd hi'n ferch a hithau wedi bod yn dost, roedd hi wedi dihuno a chael ei mam yn eistedd fel hyn yn gwylio drosti. O gofio hyn ac o weld yr hen garedigrwydd yn wyneb annwyl Mam, fe giliodd ei hofnau'n llwyr. Teimlodd fod ei mam wedi dod i ddangos ei bod hi'n gwylio drosti o hyd. Roedd hi'n gymwys fel yr oedd Gwen yn ei chofio hi yn ei phlentyndod ac er ei bod wedi byw i fod yn hŷn o lawer na'i mam roedd hi'n teimlo fel merch fach unwaith eto. Doedd arni ddim awydd i ddweud dim, dim awydd i siarad â hi. Teimlai'r cariad yn ei hamgylchynu, a theimlo bod ei mam yn dweud diolch iddi am gofio am Edwart.

Bob yn dipyn dechreuodd y rhith welwi a gwelwi nes iddo droi'n gysgod aneglur o liwiau a diflannu'n gyfan gwbl. Teimlodd Gwen ei bod hi wedi bod yn gwylio'i mam am hydoedd ond roedd hi wedi sylwi ar y cloc cyn ei gweld hi ac yn awr troes i edrych ar y cloc eilwaith a gweld ei bod hi'n hanner awr wedi tri yn y bore bach; bu'n eistedd gyda'i mam am chwarter awr. Aeth i gysgu'n syth wedyn, cwsg tangnefeddus, adnewyddol.

Ar ôl yr ychydig oriau o gwsg a gawsai wedyn teimlai'n well nag arfer. Cofiai'r digwyddiad yn glir iawn ond ni allai fod yn hollol siŵr nad oedd wedi'i freuddwydio ac nad oedd ei hatgofion, a oedd mor glir a chroyw yn awr, wedi treiddio i'w breuddwydion. Roedd hi'n mynd yn anos gwahaniaethu rhyngddynt; atgofion, digwyddiadau yn y presennol a breuddwydion.

Yn y bore aeth i weld Edwart.

Mae Gwen wedi cyrraedd drws ei thŷ. Mae hi'n dodi'r allwedd yn y twll. Yn agor y drws, yn llusgo'i bagiau i mewn.

Mae hi'n tynnu'i chôt, yn mynd i'r gegin ac yn gwneud disgled o de. Yna mae hi'n eistedd mewn cadair freichiau ar bwys y tân trydan.

Y DEWIN

I

Gafaelais yn llewys crys fy nhad ac yna yn ei law. Roedd y goedwig yn oer ac roedd hi'n dechrau tywyllu.

—Beth yw'r sŵn 'na? (Deuai sŵn o bob cyfeiriad.)

—Y gwynt, meddai fy nhad yn ddigynnwrf.

—Dad, dwi'n clywed rhywbeth yn crio!

—Canghennau'r coed.

—Beth oedd y sgrech 'na?

—Gwdihŵ.

Gallai fy nhad roi cyfrif am bob sŵn annisgwyl ac arswydus. Dan ei law ef fe deimlais yn weddol sâff ond nid yn hollol sâff chwaith. Wedi'r cyfan dyn oedd fy nhad. Be' fuasai'n digwydd i mi petasai un o'r canghennau preiffion yn torri ac yn disgyn ar ei ben? Buaswn yn ddiymgeledd wedyn. A be' petasai herwyr yn dod ac yn ymosod arno, neu ryw anifail gwyllt yn ei ladd? Buaswn innau'n amddifad. A beth sy'n digwydd i blant amddifad sy'n crwydro ar goll mewn fforestydd? Daw'r brain i bigo'u llygaid neu'r bleiddiaid i borthi arnynt neu, yn waeth byth, fe gânt eu cipio a'u cloi mewn caets gan hen wrachod sy'n eu porthi i'w bwyta.

A beth am fy nhad? A oedd e'n teimlo mor ddibryder ac mor hyderus ag yr ymddangosai mewn gwirionedd? Onid oedd yntau'n ofnus yn nirgel ddyn ei galon? Onid oedd ei law'n crynu'r ychydig lleiaf? Oedd, gallwn deimlo'i fysedd yn crynu o amgylch fy llaw innau. Roedd fy nhad, f'amddiffynnydd, yn ofnus ond ceisiai ymddangos yn eofn rhag fy mrawychu. Ceisiwn innau felly fod yn ddewr er mwyn dangos fy mod i'n ymddiried ynddo'n llwyr. Roedden ni'n cynnal hyder ein gilydd mewn gwirionedd.

Roedd y goedwig hon yn dywyllach na'r nos a'i choed mor dew ac mor dal. Hyd yn oed liw dydd byddai'r goedwig hon yn ddigon tywyll. Fel hyn roedd hi'n anodd gwybod i ble'r oedden ni'n mynd. Roedden ni'n ddeillion gyda dim byd ond seiniau aflafar a theimladau annymunol o'n cwmpas—canghennau pigog y coed yn crafu ein hwynebau a'n breichiau a'n coesau a'n dwylo, a dim byd ond llaca llaith dan draed.

Buom yn cerdded am amser. Teimlwn i'n flinedig ac roedd ofn yn fy llethu. Buaswn wedi licio gorwedd ar y llawr a gadael i'r bleiddiaid ddod—gollwng llaw fy nhad, cwympo i lawr yn y baw ac aros am y gwaedsugnwyr i ddod i'm llarpio. Gafaelais yn dynn yn llaw fy nhad am fy mywyd.

Roedden ni'n chwilio am ryw le—gofynnais yn fy nghalon bob munud—ble mae'r lle, ble mae'r lle?—gwyddai fy nhad i ble'r oedd e'n mynd.

Yna fe welais y golau yn y pellter, a gwelodd fy nhad ef hefyd, yr un pryd â fi. Llecyn o olau i ddechrau, wedyn clwt o olau melyn. Golau yn mynd ac yn dod ond yn aros yn ei unfan fel y gwelir golau mewn fforest yn cael ei dorri bob hyn a hyn wrth i ganghennau a dail ddod rhyngom ag ef. Ond o'r diwedd roedd gennym rywbeth pendant i anelu ato ac wrth inni nesáu ato fe dyfai'r golau. Yn awr gallwn weld ffenestr ac yna ffurf rhyw fath o dŷ.

Ond yn hytrach nag ymrithio'n gliriach a chymryd ffurf ddealladwy fe âi'r tŷ'n ddieithriach wrth inni agosáu ato. Gallwn weld bod to'r tŷ'n arswydus o uchel, cyn daled â rhai o'r coed, ac yn bigog—ond am ffurf yr adeilad, roedd yn dal yn ddirgelwch yn y cysgodion. Cefais yr argraff ei fod fel hen froga neu lyffant hyll yn eistedd yn y tywyllwch ac mai'r ffenestr, gyda'i golau melyn afiach, oedd ei lygaid.

Ond i beth yr oedd fy nhad yn mynd i le fel hwn? Ac i beth yr oedd e'n dod â fi i'r fath le? Yna sylwais ar newid yn symudiadau fy nhad. Doedd e ddim yn fy nhywys gyda fe'n awr; roedd e'n fy nhynnu gerfydd fy mraich. Oedaswn efallai wrth weld y tŷ, oedd yn rhy dywyll, yn rhy arswydus o ddu, ac roedd e'n ceisio f'annog i ddod yn fy mlaen. Ond teimlwn fy nghoesau'n pallu symud a'm sodlau'n suddo i'r llaid. Ond doedd dim ots gan fy nhad. Tynnai fi nes bod fy mraich yn brifo, gwasgai fy mysedd nes eu bod bron â chracio.

Daethon ni at glwyd fechan mewn ffens isel o gwmpas y bwthyn du. Tynnodd fy nhad fi ar ei ôl wrth iddo gerdded at y ffenestr. Yno, y tu mewn, roedd hen, hen ddyn yn eistedd ar bwys tân, a'r tân oedd yn creu'r golau melyn. Roedd gwallt a barf yr hen ŵr yn wyn, yn hir ac yn llaes. Roedd ei ddillad yn ddu ac yn garpiog. Yn fy nhyb i, edrychai fel hen dderwydd du.

Yn ddisymwth symudodd fy nhad at ddrws y bwthyn a churo arno. Agorwyd y drws ac yno safai'r hen ŵr. Edrychodd ar wyneb fy nhad ac yna edrychodd i lawr arnaf fi gan graffu i fyw fy llygaid. Roedd ofn yn fy nghalon. Ond roedd rhyw gyd-ddealltwriaeth rhwng fy nhad a'r dieithryn.

—Dewch ag ef i mewn, meddai'r hen ŵr.
—Na wnaf, meddai fy nhad, dydw i ddim eisiau gweld eich cartre nac i ble mae hwn yn mynd. Wnaiff e'r tro? Dyna f'unig ddiddordeb i'n awr.
—Gwnaiff, meddai'r hen ŵr gan edrych i lawr arnaf fi eto.
—Rhowch yr arian i mi felly.

Tynnodd yr hen ŵr gwdyn lledr o'i wisg ddu ac o'r cwdyn tynnodd ddarnau o arian. Gwelais ef yn rhifo deg swllt arian ar hugain yn ofalus cyn eu trosglwyddo i law fy nhad. Y llaw y bûm i'n gafael ynddi.

Troes fy nhad ar ei sawdl a dyna'r tro olaf imi'i weld. Gwelais ei gefn wrth iddo gerdded i'r tywyllwch ar ei ben ei hun gan fy ngadael i gyda'r dieithryn.

II

Am gyfnod maith bûm yn byw gyda'r hen ddyn mewn dirfawr ofn ohono. Ac roeddwn i'n drist, yn gweld eisiau fy mam a'm hen gartref a'm gwely bach gyda 'mrodyr a'm chwiorydd.
—Paid â nychu, meddai'r hen ŵr, a phaid â thosturio wrthyt dy hun. Nid peth anghyffredin yw cael dy fradychu gan dy rieni, mae'n digwydd i'r rhan fwyaf ohonom. Dyw dy dad ddim yn hiraethu ar d'ôl di chwaith. Roedd arno angen yr arian 'na gafodd e gen i i gynnal ei wraig a'i deulu ac ef ei hun. Rwyt ti wedi achub dy frodyr a'th chwiorydd rhag y tloty a'r newyn.

Doeddwn i ddim yn licio'r hen ŵr ar y dechrau. Ymddangosai'n hyll a chanddo ddannedd melyn a blith yn lle lliw yn ei lygaid; roedd ei ddwylo'n esgyrnog, ei groen fel lledr, ei drwyn yn hir â blew gwyn yn nhyllau'i glustiau, ac ewinedd crafangaidd. Ond ar y dechrau doedd gen i ddim syniad beth a wnâi ef â fi. Dysgais yn fuan: mynd i'r ardd ac weithiau i'r goedwig gyda fe i hel llysiau, dod 'nôl a'u golchi, eu coginio dan gyfarwyddyd yr hen ŵr a rhoi'r lluniaeth hwn iddo wedyn i'w fwyta. Tacluso'r bwthyn, sgubo'r llawr, rhoi bwyd i'r creaduriaid bach a gadwai ef mewn cewyll yno yn y bwthyn, golchi'i hen ddillad duon a chribo'i wallt a'i farf. Gofalu amdano fel hyn, dyna fy swyddogaeth. Gwaith caled ar y dechrau gan fod y lle mor frwnt a finnau'n fach ac yn ddieithr i'r holl orchwylion. Ond wrth i'r wythnosau ac yna'r misoedd dreiglo heibio fe gyfarwyddais â phopeth.

Prys oedd ei enw. Un noson roeddwn i'n cribo'i wallt (ac yn meddwl mor annwyl oedd ei hen wyneb):

—Prys?

—Ie?

—Ydy e'n wir fod gen ti weddïau a salmau wedi'u sgrifennu wyneb i waered yn yr holl lyfrau 'na?

—Nac ydy. Does dim gweddïau na salmau o unrhyw fath yn fy llyfrau i.

—Ydy e'n wir felly fod gen ti gyfrinach bywyd a marwolaeth ynddyn nhw?

—'Machgen i, pe bai honno gen i fyddwn i ddim yn heneiddio fel hyn a fyddwn i ddim yn gorfod dy gael di yma i edrych ar f'ôl i'n awr 'mod i'n dechrau mynd yn fethedig.

—Ond maen nhw'n dweud dy fod ti'n ddyn hysbys ac yn ddewin.

—Pwy yw 'nhw'?
—Pobl y pentre. Rydw i wedi clywed y rhai sy'n dod ffordd hyn yn siarad yn y goedwig tra oeddwn i'n cuddio yn y perthi.
—A beth arall maen 'nhw' yn ei ddweud?
—Maen nhw'n dweud bod yr anifeiliaid yma'n ellyllon a'u bod nhw'n mynd ma's gyda'r nos i wneud drygioni.
—Ond 'rwyt ti'n gwybod mai milod bach ofnus ydyn nhw y cymerais i drueni arnyn nhw ar ôl i mi ddod o hyd iddyn nhw wedi'u hanafu, eu hadenydd wedi'u torri gan ddrylliau'r dynion, neu'u traed wedi cael eu malu yn eu maglau haearn. Ac rwyt ti'n gwybod yn iawn eu bod nhw'n cysgu'n dawel ac yn sâff yma yn eu caetsys drwy'r nos.
—Mae pobl y pentre'n dweud dy fod ti'n siarad â'r Diafol.
—Pan fo dyn yn siarad ag ef ei hun mewn eglwys dywedir ei fod yn siarad â Duw a'i fod yn ddyn da; ond pan fo dyn yn siarad ag ef ei hun yn ei dŷ ei hun dywedir ei fod e'n siarad â'r Diafol a'i fod o'i go'.
—Wyt ti o dy go'?
—Nac ydw.
—Pam wyt ti'n siarad â thi dy hun felly?
—Am yr un rheswm ag y mae dyn yn siarad ag ef ei hun mewn eglwys. Am ei fod e'n unig.
—Dyw pobl yr eglwys ddim yn unig.
—Ydyn, maen nhw. Mae pob un yn unig, mae'n anochel. Ond dydw i ddim mor unig nawr dy fod ti yma.

Yr hen ŵr annwyl, anhygoel o hen. Wnâi hwnnw mo fy mradychu i. A doedd e ddim yn hyll. Roedd ei groen yn dyner a'r rhwydwaith o rychau ar ei wyneb yn dweud hanes ei oes a'i ddioddefaint. Ac roedd ei farf fel plu yn erbyn fy nghroen yn ystod y nosweithiau hirion.

III

Daeth swyddogion y Chwilys. Y *Domine Canes*—Cŵn yr Arglwydd, medden nhw—Bytheiaid Uffern yn fy marn i. Roeddwn i yn y goedwig ar y pryd ond fe glywais y ceffylau o bell. Rhedais nerth fy nhraed yn ôl i'r bwthyn corniog. Ond yn rhy hwyr. Roedden nhw wedi'i gipio ef a'i holl lyfrau. Ond diolch i'r drefn gadawsant y rhan fwyaf o'r anifeiliaid bach.

Dysgaswn bopeth a oedd yn y llyfrau. Nid hud a lledrith ond swyn geiriau. Gwyddwn sut i fyw ar lysiau a ffrwyth y ddaear a'r llwyni. Dros gyfnod o ddeng mlynedd trosglwyddasai Prys ei holl wybodaeth imi.

Ond allwn i ddim gadael iddynt ei gipio fel'na ac yntau wedi bod yn well na thad a theulu i mi.

Gwelais fod y ceffylau a'u marchogion wedi torri llwybr llydan drwy'r goedwig—wedi sathru'r perthi gan amddifadu anifeiliaid ac adar o'u cartrefi a'u cynhaliaeth.

Euthum ar hyd y llwybr gan ddilyn yr alanas a wnaed gan swyddogion y Prif Chwiliadur i'r cyfeiriad y daeth fy nhad a finnau ohono dros ddeng mlynedd ynghynt. Roedd y ffordd yn haws y tro hwn. Nid yn unig am fod y Cristwyr wedi'i hehangu ond oherwydd fy mod i'n hollol gyfarwydd â'r pethau o'm cwmpas a oedd wedi hela ofn arnaf yn blentyn. Roedd hi'n dywyllach y noson honno hefyd. Roedd hi'n dechrau tywyllu y tro hwn ond doedd hi ddim yn gefn trymedd nos o bell ffordd eto.

Rhedais â'm gwynt yn fy nwrn gan nodi gyda'm llygaid a'm calon ond nid gyda'm meddwl, ofid y creaduriaid. Gwelais lyffant a falwyd dan garn march. Rhedais fel sgwarnog heb sylwi ar y milltiroedd, rhedais yn wyllt heb deimlo lludded.

Yn ddisymwth gwelais wrid coch yn yr awyr—daeth i'm cof y tro y gwelais y golau melyn yn nyfnder y tywyllwch y noson honno gyda fy nhad. Ac fe agorodd y goedwig, oblegid cyraeddaswn y pentre. Y pentre y bûm i'n byw ynddo'n blentyn gyda'r teulu—nes iddynt fy nhwyllo a'm bradychu—a oeddynt yn fyw o hyd, y bobl roeddwn i wedi'u galw'n dad ac yn fam, yn frodyr ac yn chwiorydd?

Yna fe welais haid o bobl, heidiau, a sylweddolais fy mod i wedi cyrraedd sgwâr y pentre. Wrth imi sefyll ac ymdoddi i'r dorf, am y tro cyntaf daeth ton o flinder drosof ac roeddwn i'n chwysu fel mochyn a rhedai'r chwys i mewn i'm llygaid gan fy nallu dros dro. Roeddwn i'n ceisio adennill fy ngwynt a sŵn f'anadliadau yn fy mhen bron a'm byddaru. Ond gallwn glywed y bobl o'm cwmpas yn bloeddio ac yn chwerthin yn ddigon uchel a rhywbeth mileinig a sbeitlyd yn eu cri. Wedi i'r chwys glirio o'm llygaid edrychais o'm cwmpas a gwelais ar wepau'r bobl olwg adwythig, rhywbeth nas gwelir hyd yn oed mewn llygaid brain neu fleiddiaid wrth iddynt borthi ar ŵyn bach. A sylwais fod y bobl hyn i gyd yn edrych tua'r un cyfeiriad, hynny yw, i ganol y sgwâr. Wrth sefyll ar fodiau fy nhraed ac ymestyn fy ngwddwg i'w eithaf gallwn weld dros bennau'r bobl.

Ac yno yng nghanol y sgwâr yr oedd yr olygfa yr ofnais yn fy nghalon ei gweld, ond y gwyddwn, serch hynny, ei bod hi'n anorfod y'i gwelwn. Yno yng nghanol y sgwâr yr oedd swyddogion y Chwilys a'r Eglwys yn eu gwisgoedd crand gyda'u beiblau a'u croesau aur. A'r pwysigion hyn yn goch i gyd yng ngolau'r tân. Ac yno yng nghanol y sgwâr roedd y goelcerth a'r fflamau wedi'i meddiannu'n llwyr erbyn hyn. Chwiliai tafodau'r tân am unrhyw ddarn o danwydd oedd heb ei losgi; ffrwydrai'r gwreichion gan boeri o bryd i'w gilydd ar rai yn y dorf tra chodai'r gwreichion eraill i'r awyr a diflannu fel paderau. Ac yng nghanol y goelcerth roedd yr ystanc. Ar yr ystanc crogai esgyrn a chig, yn swigod i gyd, wedi'u coginio ac yn awr yn llosgi, y tân yn eu llyfu. Ni ddeuai sŵn o'r gweddillion hyn.

Pan nad oedd ond colsyn du ar ôl ar yr ystanc a'r goelcerth wedi mynd yn ddim byd ond marwydos, syrthiodd swyddogion y Chwilys ar eu gliniau gan ddiolch i'w duw. Gwnaeth y gwerinwyr yr un peth. Y fi yn unig a safai o hyd—nes imi droi ar fy sawdl a rhedeg o sŵn y gweddïau a gwynt y tân, yn ôl i'r goedwig.

NID YW PAWB YN GWIRIONI'R UN FATH

Chwap ar ôl iddi ddihuno aeth Marged Cadwaladr i'r ffenestr er mwyn archwilio'r awyr. Wedi iddi fodloni'i hunan nad oedd dim byd crwn ariannaidd i'w weld, dim ar siâp sigâr, na dim byd trionglog yno'n symud edrychodd ar y tirlun a chraffu ar y caeau am olion glanio rhyw beiriant anarferol, darn o ddaear wedi'i losgi, porfa wedi'i gwasgu i lawr ar ffurf gron, neu'r tri chylch bach yn awgrymu arhosiad rhywbeth ar deirtroed fel y gwelwyd y tu allan i ffermdy ger Alingsas, Sweden ym mis Awst 1970, neu yn Socorro, Mecsico Newydd ym mis Ebrill 1964.

Dihunodd Marc—yn groes i'w ewyllys. Ar ei wely roedd tri *Griffon Bruxellois* yn dal i gysgu; Buddug wrth ei droed, Ifor Bach wrth ei ochr, ac ar y glustog yn agos i'w ben roedd Ch. (am *Champion*) Twm Siôn Cati yn dal i chwyrnu. Er mor hoff oedd e o gwmni'r cŵn bach od ond doniol hyn, yn enwedig Ch. Twm Siôn Cati, doedd yr un ohonynt yn ddigon i gymryd lle Roger. Dyna pam doedd e ddim yn awyddus i ddeffro. Roedd cwsg yn ddihangfa, ebargofiant. Yn awr roedd e'n gorfod wynebu bywyd ar ei ben ei hun unwaith eto.

Doedd Ann ddim wedi cysgu'n dda iawn. Doedd dim trefn ar gwsg wrth fynd yn hen. Ni ddeuai yn y nos er yr âi i gadw'n hwyr iawn. Eithr, yn ystod y dydd, a hithau'n mynd i'r afael â'i stori, o'r diwedd, fe'i llethid gan flinder nes ei bod yn gorfod rhoi'r gorau iddi. Dihunai wedyn yn y prynhawn wedi colli trywydd ei syniadau'n llwyr.

Ond yn awr roedd un o gŵn uffernol ei mab rywsut wedi sleifio i mewn i'w hystafell wely ac roedd e'n cyfarth yn haerllug arni i dynnu ei sylw, fel petai, at bentwr bach o gachu roedd e wedi'i wneud yn un o'i slipanau coch hi. Plygodd Ann dros erchwyn y gwely i godi'r slipan arall, yr un lân, a'i thaflu gydag ergyd ei holl ddicter at ben y diawl bach swnllyd a drewllyd. Roedd ei haneliad yn gywir a diflannodd yr ellyll fel cath wedi'i llosgi—fel cath i gythraul.

Ond roedd y weithred o blygu a thaflu wedi bod yn boenus iawn ac roedd hi'n ymwybodol o'r holl gymalwst yn ei chorff.

Roedd teledu yn ei hystafell ac un o'r taclau ar bwys ei gwely gyda'r botymau arno fel y gallai weithio'r teledu heb godi. Pwysodd y botymau a chafodd sŵn byddarol rhyw raglen grefyddol gyda phawb yn gwenu o glust i glust ac yn canu'n siriol. 'Llawenydd gwneud', meddai Ann gan ddiffodd y gorfoledd cyn iddo fynd ar ei nerfau.

Roedd hi'n disgwyl yr ysgrifenyddes ac roedd hi'n barod i ar-ddweud brawddegau stori roedd hi'n gweithio arni.

Bu'r llenores—roedd hi bob amser yn synio amdani hi'i hun fel llenores yn hytrach na llenor a ffeminydd, neu 'fenywydd' fel y gwelsai mewn stori o'r ganrif ddiwethaf—do, bu'r llenores Ann Gruffydd-Jones yn paratoi'i stori yn ei phen yn bennaf ond hefyd ysgrifenasai lawer o nodiadau mewn llyfrau ac ar ddarnau o bapur (roedd hi'n greadures anhrefnus) fel bod ganddi gruglwythi o ddeunydd yn barod. Fel hyn y gweithiai bob amser. Roedd pob stori fer o'r eiddi yn gynnyrch, nage, yn ffrwyth wythnosau o fyfyrdod a gwaith ymchwil. Ond hon oedd i fod yn goron ar ei gyrfa faith. A hon hefyd, fe wyddai yn nirgel ddyn—neu yn nirgel ddynes ei chalon, fyddai ei stori olaf.

Cawsai bob clod ar hyd ei gyrfa—yn enwedig yn ddiweddar. Cawsai'i hethol yn aelod o'r Academi (neu'r 'Acacacademi' fel y syniai hi amdani bob amser ar ôl darllen cyfieithiad Saunders Lewis o araith Lucky yn *Wrth Aros Godot*), ac enillasai nifer o wobrau Cyngor y Celfyddydau dros y blynyddoedd. Cawsai'i gwneud yn Dderwyddes er anrhydedd ac yn ddiweddar iawn cawsai ddoethuriaeth *honoris causa* gan y Brifysgol, ei hen Goleg ei hun lle'r oedd hi wedi darllen llenyddiaeth Gymraeg yr ugeinfed ganrif, gan ysgrifennu traethawd ar ddiwedd y cyfnod gyda'r teitl 'Llenyddiaeth Gymraeg 1960-1999: Llusgo Byw'. Ystyrid ei chyfrolau *Yn Ôl i Yfory, Ar Drothwy'r Cysgodion* a *Goleuni yn y T'wllwch* yn storïau serch clasurol y cyfnod newydd.

Ni fu erioed yn awdures doreithiog. 'Dydw i ddim yn barod i afradu fy nawn,' dywedai, ond erbyn hyn a hithau'n wyth a phedwar ugain roedd y crucymalau yn ei bysedd yn fwy o rwystredigaeth na'r 'bloc' bondigrybwyll. Dyna pam y bu'n rhaid iddi gael ysgrifenyddes i'w chynorthwyo i ysgrifennu'r stori fawr olaf.

Doedd Ann Gruffydd-Jones ddim yn llenores geidwadol o bell ffordd er gwaethaf ei diddordeb yn llenorion y ganrif ddiwethaf, ond doedd hi ddim yn rhyw flaengar iawn chwaith. Eisoes lluniasai'r dechrau trawiadol, yr uchafbwynt dramatig erotig tua'r canol ac roedd hi'n dal i chwilio am 'ddatrysiad' da i'r stori hon (wnâi hi byth sôn am y 'diwedd' eithr am y 'datrysiad'). Roedd hon yn mynd i fod yn well na'r lleill i gyd—dywedasai hyn am bob un o'r storïau wrth iddi weithio arnynt a chyn eu gorffen, mae'n wir, ond y tro hwn defnyddiai'r holl arfogaeth, offer ei chrefft wedi'u miniogi mewn oes hir o'u harfer, ac elwai ar oes o ddarllen yn eang y tro hwn, yn fwy nag erioed o'r blaen. Ac eto, ni ddeuai'r datrysiad y tro hwn er ei geisio a'i geisio.

Roedd y ddelwedd o'r stori yn ei phen yn gliriach nag a welsai un erioed pan oedd hi'n ifancach—hynny yw ar wahân i'r datrysiad oedd yn dal mewn niwl o hyd. Y gamp bob amser wrth ysgrifennu stori oedd cael cysylltiad clòs rhwng y ddelwedd o'r stori yn ei phen wrth roi'r stori ysgrifenedig ar bapur. Weithiau byddai'r agendor rhwng y ddelwedd a'r tudalennau'n affwysol ac ystyriai Ann hynny'n fethiant. Weithiau byddai'r ddelwedd yn cyfateb i'r dim i'r arwyddion bach du ar y papur gwyn a dyna lwyddiant. Wrth gwrs ni wyddai'r darllenwyr na'r beirniaid os oedd ei storïau cyhoeddedig yn cyfateb i'r delweddau ohonynt yn ei phen. Ni allent wybod. Ond roedd hi'n ddifyr i Ann ddarllen sylwadau'n canmol ei methiannau ac yn dilorni'i llwyddiannau. Ond doedd hi ddim yn hidio llawer. Doedd hi ddim yn ysgrifennu i fodloni pobl eraill—er ei bod yn falch o'r clod a gawsai, hyd yn oed am rai o'i methiannau hunangollfarnedig. Ysgrifennai i'w bodloni'i hunan, yn fyfïol iawn.

Beth bynnag doedd hi ddim yn meddwl rhyw lawer o'r beirniaid; roedd y rhan fwyaf ohonynt yn anllythrennog a doedd y lleill ddim yn gallu darllen. 'A ble,' meddai gan gofio Pirandello o'i blaen, 'ble mae'r beirniaid â chydymdeimlad y dyddiau 'ma?'

Yn nes ymlaen roedd Marc yn eistedd gyda'i fam, Ann, yn cael brecwast. Roedd Ann yn gwneud sŵn â'i cheg oherwydd mynnai fwyta heb roi ei dannedd gosod yn ei phen. Disgynnai'r briwsion o gornel ei cheg. Plygai ymlaen i lenwi'i phen. Roedd hi'n bwyta'n llafurus. Roedd hyn i gyd yn crafu ar nerfau Marc. Gwyddai mai arno ef oedd y bai. Doedd ei hen fam ddim yn gallu helpu'r ffordd roedd hi'n bwyta. Roedd e'n niwrotig ynglŷn â'r ffordd roedd pobl yn bwyta am ryw reswm; ni wyddai pam. Ond ei fam ei hun a gâi'r effaith waethaf arno, yn codi'i gyfog yn waeth na neb arall.

Edrychai Marc ar wyneb ei fam. Roedd ei chroen yn rhychau i gyd. Doedd e ddim wedi sylwi ar hyn tan yn ddiweddar. Chwarae teg, bu'n byw i ffwrdd tan yn ddiweddar iawn hefyd. Ond roedd ei hwyneb fel hen ddeunydd brethyn yn rhychau ac yn grychau ac yn blygiadau i gyd. Teimlai Marc yn ymwybodol o'r holl groen llac yn hongian o gwmpas penglog Ann. Doedd Marc ddim eisiau byw mor hir â hyn, mor hir â'i fam. Roedd henaint yn ffiaidd ganddo. Cofiai'i fam fel yr oedd ei hwyneb yn arfer bod—mewn fflach y gwelodd hyn—ac yna eto gwelai'r holl blygiadau memrynaidd yn hongian yn grebachlyd am ei hwyneb. Ac yna edrychai ar ei gwallt gwyn, tenau.

Roedd pawb yn mynd yn llwyd yn y pen draw (ar wahân i eithriadau fel ei Bopa Siphora a oedd â gwallt du fel y frân yn ei harch a hithau'n ddeuddeg a phedwar ugain). Câi pawb ei anffurfio gan amser, yn allanol os nad yn fewnol hefyd. A doedd neb yn dianc. Sylwasai Marc ar grychau bach newydd a ymddangosai o dan ei lygaid ei hun yn ddiweddar (roedd e'n ddeugain a rhywbeth) ac roedd pob arwydd o henaint yn rhagolwg o angau.

Pan ddaeth Marc yn ôl at ei fam i fyw ni ddaeth ar ei ben ei hun. Daeth â phymtheg o *Griffons Bruxellois* gyda fe. Brîd o gŵn bach, cynffon gota, llygaid mawrion a thrwynau bach hyll; rhai gyda'u dannedd isaf yn ymwthio o'u cegau; eu blew yn amrywio, rhai'n llyfn fel ceffylau bach, rhai yn arw eu blew fel daeargwn neu fel brws; a'u lliwiau'n goch neu'n ddu fel arfer ond gyda rhai'n ddu ac yn goch. Hobi Marc oedd bridio'r cŵn hyn a mynd â nhw i sioeau cŵn ar hyd a lled Prydain Fawr. Enillasai nifer o wobrau pwysig gyda rhai ohonynt, felly roedd rhai o'r cŵn hyn yn werthfawr iawn— yn llythrennol yn werth eu pwysau mewn aur coeth. Y pwysicaf ohonynt i gyd oedd Ch. Twm Siôn Cati o Dynyfawnog (i roi iddo'i enw llawn). Roedd Marc wedi dodi enwau Cymraeg ar bob un o'r cŵn roedd e wedi'u bridio ac roedd 'Tynyfawnog' yn elfen ym mhob enw a gyfatebai i ryw fath o gyfenw gyda'r *Kennel Club* yn Llundain. Roedd e wedi dodi enwau pobl enwog ar rai ohonynt wrth eu cofrestru er bod hyn'na yn erbyn rheolau'r *K.C.* ond gan eu bod yn enwau enwogion o Gymru doedd neb tua Llundain yn gwybod y gwahaniaeth. Felly roedd y cŵn hyn yn llenwi'r tŷ ac yn rhedeg drwy'r ystafelloedd ac ar hyd yr ardd i gyd.

Doedd Ann ddim yn licio'r cŵn ond roedd hi'n barod i'w dioddef er mwyn cael Marc yn ôl ati hi i fyw. Ac roedd hi wedi cyfaddawdu drwy wahardd y cŵn o'i chell; doedd hi ddim eisiau clywed y cythreuliaid yn cyfarth o hyd, na gweld y 'mesys' bach ym mhobman, na'u gwynto—na'u gweld nhw'n gwneud beth oedd ei chymeriadau yn ei wneud yn ei storïau serch yr un mor aml, os nad yn amlach na'r cŵn bach. Os oedd Marc yn byw gyda hi doedd e ddim yn byw gyda'r Roger 'na.

Gadawsai Marc Roger ar ôl bod yn bartner iddo am wyth mlynedd—nid er mwyn plesio'i fam ond ar ôl iddo ddod o hyd i Roger yn y gwely gyda llanc a gyflogwyd i lanhau cytiau'r cŵn. Aeth Marc â'r *Griffons* i gyd ond gadawsai'r *Basenjis* (brîd o gŵn sy'n gwneud sŵn uchel yn eu gyddfau yn lle cyfarth, a'u cynffonnau fel cynffonnau moch bach), deunaw ohonynt gyda Roger a aeth wedyn i Leeds i fyw.

Yn ei char (*Beajour* hynafol gwyrdd, un o'r ceir yna o Lydaw sy'n edrych mor debyg i'r hen bethau yn y ganrif ddiwethaf a arferai redeg ar betrol) ar ei ffordd i dŷ Dr Ann Gruffydd-Jones, roedd Marged Cadwaladr yn wyliadwrus o'r awyr, yn enwedig ar hyd y darnau o'r heol yn y wlad lle'r oedd tai yn brin. Dyma'r math o le y digwyddai'r cipiadau achlysurol. Roedd hi'n ymwybodol o'r amser hefyd, nid am ei bod hi'n hwyr i Dr Ann, doedd hi ddim, eithr doedd y sawl a gawsai'i gipio gan ymwelwyr o'r gofod ddim yn ymwybodol o'r digwyddiad nac yn amau fod dim byd wedi digwydd nes iddo edrych ar yr amser a synnu gweld ei fod wedi teithio llawer o filltiroedd o fewn ychydig o funudau. Nid yw e'n sylweddoli ei fod e wedi cael ei gipio nac yn cofio dim nes iddo (neu iddi) gael ei hypnoteiddio. Bryd hynny y gall alw i gof holl fanylion y digwyddiad. Roedd Marged yn meddwl yn benodol am stori Betty a Barney Hill ym Hampshire Newydd ym mis Medi 1961. Buasai hi, Marged, wrth ei bodd yn cael ei chipio gan deithwyr rhyngblanedol—dim ond i gael mynd i mewn i un o'u llongau nhw, dim ond i gael y profiad a gwybod i sicrwydd fod yr holl storïau a'r holl dystiolaeth yr oedd hi'n ei phrysur gofnodi (ar gyfer yr astudiaeth drylwyr gyntaf o'r pwnc yn y Gymraeg), fod yr holl dystiolaeth o'r gorffennol pell, y ganrif ddiwethaf a'r ganrif newydd yn wir. Buasai'n fodlon iddyn nhw wneud arbrofion arni; dioddefai boen a marwolaeth, hyd yn oed, dim ond i gael gwybod y gwirionedd. Ond pe bai hi'n cael ei harbed ganddynt ar ôl iddynt fynd â hi ar wibdaith i'r sêr byddai'n rhoi'r gorau i'w holl waith ymchwil wedyn a fyddai hi ddim yn traff-erthu ceisio argyhoeddi neb arall o'i phrofiad. Ni chredid hi beth bynnag. Ond wedyn buasai hi'i hun yn gwybod!

Ar ôl iddo gael brecwast gyda'i fam aeth Marc i'r stafell ymolchi—bwytasai'i frecwast gyda'i wallt yn flêr, yn ei byjamas, heb ei eillio a chyda baw yng nghorneli'i lygaid. Cyn mynd i'r stafell ymolchi aethai i'w stafell ei hun i nôl amlen fawr. Aeth rhai o'r *Griffons* ar ei ôl gan geisio'i ddilyn i mewn i'r stafell ymolchi—ond, yn dyner iawn gwthiodd y cŵn allan gyda'i draed. Yna bolltiodd y drws gan gloi'r cŵn a phawb arall allan a'i gloi'i hunan i mewn. Teimlai'n saffach o lawer. Troes y dŵr ymlaen yn y gawod. Yna agorodd yr amlen a thynnu allan dudalen ar ôl tudalen o luniau lliw wedi'u torri o gylchgronau. Cylchgronau pornograffig. Dadwisgodd ei byjamas. Ar ôl syllu ar y lluniau am dipyn gallai deimlo'i gorff yn cyffroi a gallai ei weld ei hunan yn y drych hir—ond nid ef ei hun oedd yn yr adlewyrchiad eithr un o'r lluniau wedi dod yn fyw. Aeth i mewn i'r gawod dan y dŵr poeth. Caeodd ei lygaid gan ddychmygu fod rhywun arall wedi dod yn dawel i mewn i'r gawod gyda fe a'i fod e'n teimlo'i ysgwyddau a'i gefn, ei ffolennau, ac yna'n cyffwrdd â'i wddf, ei ddwyfron, gan symud i lawr, i lawr ar hyd lyfnder ei fol. Roedd y gwres yn annioddefol bron. Ac yna fe glywodd Marc un o'r cŵn yn crafu drws y stafell ac yna ei fam yn curo ac yn gweiddi—'Brysia Marc—dwi'n gorfod cael bath a sychu 'ngwallt cyn i'r ysgrifenyddes gyrraedd!'

Pan aeth Marged i mewn i gell Dr Ann roedd arogl y coffi'n gryf ond yn ffres, yn wir roedd y peiriant-gwneud-coffi hen ffasiwn ar fwrdd anferth, anniben y llenores yn pesychu ac yn poeri'i ddiferion olaf o'r twndis lliw aur i mewn i'r siwg wydr.

Coffi? meddai Ann.

Diolch, meddai Marged, buasai'n edrych ymlaen at y coffi hwn ar hyd ei thaith yn yr hen gar.

—Du, yntefe?

—Ie.

Roedd yr hen Dr Ann wedi cribo'i gwallt gwyn prin yn ôl oddi ar ei thalcen, fel bachgen, neu fel hen ddyn yn hytrach. Roedd ei gwallt yn wlyb hefyd.

—Dyna ni, estynnodd yr hen fenyw y cwpan (gwaith rhyw grochenydd lleol) i Marged. Sylwodd Marged ar y bysedd cnotiog.

—Rydyn ni'n mynd i ddechrau ar y stori y bore 'ma, meddai Ann, neu dyna fy mwriad. Rwy'n cofio dweud yr un peth wythnos ddwetha, a'r tro cyn 'ny ond mae pethau'n gliriach y tro hwn. Dyw 'mysedd i ddim wedi bod yn gwynegu cymaint yn ddiweddar, felly dwi wedi gallu canolbwyntio'n well.

Ond roedd meddwl Marged wedi crwydro tipyn er ei bod yn bencampwraig yn y gelfyddyd o roi'r argraff ei bod hi'n gwrando'n astud. Ar fwrdd Ann gwelai *Detholiad o Gerddi* T.H. Parry-Williams a chofiai am ei gyfeiriad at Olau Egryn yn ei gerdd '1904 (Adeg y Diwygiad)'. Wrth gwrs doedd y bardd, na'r diwygwyr o ran hynny, ddim yn cysylltu'r goleuadau ag ymwelwyr o'r gofod.

—Naddo?

—O mae'n ddrwg gen i Dr Ann?

—Chest ti ddim trafferth gyda'r cŵn na Marc ar dy ffordd lan i'r gell 'ma y bore 'ma naddo?

—Naddo. O leia welais i mo Marc.

—Ond y cŵn?

—Roedd rhai ohonyn nhw'n swnllyd . . .

—A snaplyd?

—'Nes i ddim sylwi arnyn nhw a gweud y gwir.

Roedd Marged yn dal i feddwl am bethau yn yr awyr pan ddaeth hi i mewn i'r tŷ, felly wnaeth hi

ddim gweld Twm o'r Nant yn ymosod ar ei hesgid ar y grisiau.
—Wel dwi'n gobeithio y bydd Marc yn cael gwared â'r cŵn o'i wirfodd rywbryd. Ond wiw i mi grybwyll y peth. Fe aiff yn gacwn wyllt! Beth bynnag gad inni feddwl am y gwaith.

Eisteddodd Marged ar gadair ar ochr arall y bwrdd i Ann gan glirio lle yn yr annibendod o lyfrau a phapurau ar gyfer ei nodlyfr ei hun. Roedd hi wedi bod yn falch iawn pan gawsai'r gwaith gyda'r llenores adnabyddus ond hyd yn hyn doedd hi ddim wedi gwneud dim byd o werth gyda hi, dim ond gwastraffu amser yn gwrando ar hen fenyw'n parablu pan allasai Marged fod yn gweithio ar ei gwaith ymchwil ei hun.
—Nawr, meddai Ann, mae'r delweddau agoriadol yn glir, yn glir iawn yn fy mhen ond er 'mod i wedi gwneud yr holl nodiadau hyn—mân nodiadau y'n nhw wrth gwrs, alla i ddim ysgrifennu'n hir, alla i ddim pwyso ar y sgrifbin, mae'n rhy boenus—er 'mod i wedi gwneud yr holl nodiadau 'ma, alla i ddim ffurfio'r brawddegau cyntaf. Sydd yn od gan fod y delweddau'n groywach nag erioed. Ond mae'r datrysiad yn dal i fod yn niwlog. Ac rydw i'n licio cael datrysiad pendant gyda'r edafedd i gyd wedi'u clymu'n dwt ar y diwedd. Ond dydw i ddim yn poeni llawer am hwn'na ar hyn o bryd. Fe ddaw yn ei amser ei hun. Felly be' dwi'n bwriadu'i wneud y bore 'ma yw mynd i mewn i'r canol ychydig cyn yr uchafbwynt a gohirio'r dechrau tan yn nes ymlaen. Beth wyt ti'n feddwl?
—Ma' beth bynnag rwyt ti'n mo'yn neud yn iawn 'da fi, Dr Ann.

—Mae'n beth od ti'n gw'pod.
—Beth?
—Er 'mod i'n gw'pod dy fod ti'n gyfarwydd iawn â 'ngwaith i, ar ôl y cyfweliad 'na, am ryw reswm dwi'n dal i deimlo'n chwithig, yn swil ynglŷn â llefaru fy syniadau wrthot ti.
—O does dim eisiau bod fel'na! (Gobeithiai nad oedd hi ddim yn mynd i'w diswyddo a hithau heb ddechrau'n iawn eto. Roedd ar Marged eisiau'r arian i'w chynnal i wneud ei gwaith ei hun.)
—Fel rwyt ti'n gw'pod, aeth Ann yn ei blaen, dwi'n enwog, os enwog yw'r gair, am fy storïau serch erotig. Ac mae'r darn dwi am ei ar-ddweud wrthot ti heddiw yn erotig iawn . . . does dim ots 'da ti, nag oes?
—Nag oes. (Yr un hen rigmarôl eto.) Fe luniais i draethawd ar yr elfen erotig yn dy storïau pan oeddwn i'n fyfyrwraig yn y Brifysgol.
—Mi wn. Ond does neb wedi 'meirniadu'n hallt-ach na'r menywod.
—Wel, dydw i ddim yn mynd i dy feirniadu. Dwi'n edmygu dy waith i gyd ac yn edmygu'r hyn rwyt ti wedi'i wneud dros ferched yn ein gwlad ni. Rwyt ti'n ddilynydd i Kate Roberts a Jane Edwards ac rwyt ti wedi dod â bywyd newydd i'n llên ni.
—Ie. Dyna wyt ti'n ddweud.
—Dyna be' dwi'n 'i gredu.
—Ond mae'r darn hwn yn . . . bersonol iawn. Rydw i wedi'i seilio ar ddigwyddiad yn fy mhriodas derfysglyd gyda Garmon Gruffydd y darlledwr a'r actor.
—Rwyt ti wedi seilio pethau eraill ar dy fywyd dy hun, mae'n debyg?

—Ond fel arfer bydd fy nychymyg yn gweithio fel gogr ac yn gweddnewid pethau. Ond y tro hwn rydw i am gadw at ffeithiau'r digwyddiad ei hun yn eu holl fanylion. Felly ar wahân i'r ffaith 'mod i'n gorfod datguddio a dweud pethau personol a dirgel wrthot ti, a finnau ond prin dy nabod di, dwi'n ofni y bydd Garmon yn gweld y stori, mae yntau'n fyw o hyd, a Marc . . .
—Rwyt ti'n gallu f'ymddiried i. Dwi'n ystyried fod y gwaith 'ma'n fraint. (Dere 'mlaen 'nawr, meddyliai Marged.)
—Ond y peth yw does dim byd yn y darn hwn ond disgrifiad o garu corfforol, cnawdol. Does dim digwyddiad na dim neges, dim ond disgrifiad o 'ngŵr i yn sefyll o'm blaen i . . . Na, na!
—Beth sy'n bod?
—Dwn i ddim. Ond dyw e ddim yn iawn, dyw e ddim yn iawn. Rhaid i mi fod yn fwy anuniongyrchol y tro hwn. Chaiff neb ddweud wedyn mai dim ond pornograffi oedd fy stori olaf i.
—Dy stori olaf?
—Hon fydd yr olaf.
—Ond dwyt ti ddim yn mynd i . . .
—Paid â chyboli. Hon fydd yr olaf. Dydw i ddim yn mynd i fyw yn hir nawr. Ac hyd yn oed pe cawn i ychydig o flynyddoedd eto—ar y mwya—fyddwn i ddim yn sgrifennu eto.

Yn y nos aeth Marc am dro gyda phedwar *Griffon*. Gadawsai'r lleill dan glo yn y lolfa. Roedd ei fam yn dal i weithio ar ei phen ei hun yn ei chell; roedd yr ysgrifenyddes wedi mynd ers amser. Gyda fe roedd Ch. Twm Siôn Cati, Twm o'r Nant (mab Twm

Siôn), Buddug ac Owain Glyndŵr. Wythnos nesaf roedd 'na sioe gŵn lan yn Birmingham ac roedd y pedwar hyn i gael eu dangos. Ond doedd Marc ddim âi fryd ar fynd bellach. Roedd e'n ofni gweld Roger yno. Heblaw hynny doedd e ddim eisiau mynd i sioe heb Roger. Pe bai un o'r cŵn yn ennill gyda phwy y byddai'n dathlu'r achlysur? Doedd dim pwynt i'r sioeau heb Roger. Doedd dim pwynt bridio rhagor. Roedd e'n ystyried gwerthu'r cŵn i gyd, hyd yn oed yr un ifanc mwyaf addawol sef Twm o'r Nant a oedd yn siŵr o ennill ei bencampwriaeth yn rhwydd.

Roedd Marc wedi cerdded drwy'r pentre ac yn awr roedd e'n cerdded ar lan yr afon. Daeth rhywun tuag ato o'r cyfeiriad arall. Safodd y dieithryn wrth i Marc fynd heibio iddo gyda'r cŵn. Troes Marc ei ben i weld fod y dieithryn yntau wedi troi. Gwyddai Marc beth oedd hyn yn ei olygu. Ni wyddai sut i ymateb. Ni wyddai sut i aros. Ni wyddai sut i fynd.

Yn y bore roedd Marged yn astudio'n freuddwydiol y copïau o'r lluniau enwog a dynnwyd ym mis Mai 1950 ym McMinnville, Oregon gan Mr Paul Trent. Anfonwyd y lluniau hyn (rhai ohonynt yr un maint yn union â'r rhai gwreiddiol ac eraill wedi'u chwyddo'n anferth ac wedi'u gosod gan Marged ar wal ei stafell) ati gan G.S.W. (sef *Ground Saucer Watch*). Lawr yn y cornel ar y chwith roedd 'na sied neu gwt neu dŷ, yna goed neu berthi a pholyn telegraff, a lan yn yr awyr yr 'hedbeth'. Yn un o'r ddau lun roedd y gwrthrych wedi gwyro yn ôl ychydig gan ddangos ei waelod. Darllenodd Marged hen ddatganiad William Hartman o bwyllgor

Condon—*this is one of the few UFO reports in which all factors investigated, geometric, psychological and physical, appear to be consistent with the assertion that an extraordinary flying object, silvery, disk shaped, metallic, tens of meters in diameter, and evidently artificial flew within sight of two witnesses*. Roedd Marged yn hoff iawn o iaith swyddogol y ganrif ddiwethaf. Meddyliodd hi am Mr a Mrs Trent, ffermwyr cyffredin, yn mynd o gwmpas eu pethau un diwrnod ac yna'n gweld y 'bechingalw' hwn yn yr awyr. Y wraig yn rhedeg i mewn i'r tŷ i 'nôl y camera nad oedd hi'n gwybod sut i'w weithio, yn ei roi e i'r gŵr, hwnnw'n tynnu'r lluniau cyn i'r gwrthrych fynd i ffwrdd mor ddisymwth ag y daeth. Datblygu'r lluniau wedyn (dim ond ar ôl gorffen y ffilm) a'u dangos i bobl; neb yn eu credu. Yna'r profion gwyddonol yn rhoi coel i'w stori. Meddyliodd Marged am y peiriant yna'n hedfan dros y ffermdy diolwg; a edrychodd rhywun neu rywrai i lawr a gweld Mr a Mrs Trent gyda'u camera bach digri o gyntefig? Mewn blynyddoedd i ddod efallai, os daw'r bobl yna o'r gofod yn swyddogol, efallai, pwy a ŵyr, yn eu harchifau y deuir o hyd i hen lun neu hen ffilm a dynnwyd o'r awyr o'r ffermdy yna ym McMinnville gyda Mr a Mrs Trent y tu allan yn edrych i fyny, Mr Trent gyda'r camera bach hen ffasiwn o flaen ei wyneb.

Yn ei chell, yn blygeiniol yr un bore, roedd Ann yn ceisio darllen ond ni allai ganolbwyntio ar y llyfr. Credai Ann ei bod hi'n bwysig i lenor ddarllen bob amser. Credai fod pob llenor yn ddarllenydd yn gyntaf a bod llyfrau'n ysgogi llyfrau, bod llenyddiaeth yn wrtaith i lenyddiaeth. Tra byddai'n gweithio ar rywbeth ei hunan fe ddarllenai ychydig llai nag arfer, ond darllenai bob amser. Roedd darllen yn rhan hanfodol o'r gwaith.

Eto i gyd, pan ddarllenai'r meistri a'r meistresi teimlai'n boenus o ymwybodol o'i diffygion. Doedd hi erioed wedi bod yn ddigon agos i'r delweddau yn ei dychymyg. Doedd hi erioed wedi llwyddo i ysgrifennu'r storïau y bu'n breuddwydio amdanynt. Daethai yn agos weithiau ond ddim yn ddigon agos. A doedd y clod a gawsai yn golygu dim o'i gymharu â safon ei gobeithion ei hun. Ar hyd ei hoes ei hunig ddymuniad oedd bod yn llenores, ei hunig uchelgais oedd cynhyrchu llenyddiaeth o werth parhaol. Ac yn wir roedd hi wedi llwyddo i ennill ei bywoliaeth fel llenor a daeth cydnabyddiaeth hefyd yn ei thro. Ond roedd hi'n llenores cyn y gydnabyddiaeth a chredai y buasai'n dal i lenydda hyd yn oed hebddi. Ond dyma'i hamheuon—yn nirgel ddynes ei chalon doedd hi ddim yn siŵr ei bod hi'n llenores o'r iawn ryw—a gwyddai beth a olygai wrth yr ymadrodd hwnnw, onid oedd hi wedi beirniadu mewn eisteddfodau? A doedd hi ddim yn siŵr ei bod hi wedi creu unrhywbeth o werth parhaol—er bod beirniaid o fri wedi'i sicrhau ei bod hi wedi cynhyrchu clasuron y dyfodol. Yn ei chalon fe deimlai Ann fel twyllwraig, fel ffuglenores weithiau. Y stori hon, ei stori olaf oedd ei chyfle olaf. Ac ofnai nad oedd ganddi mo'r rhinweddau i achub ar y cyfle.

Erbyn hyn roedd y weithred gorfforol o ysgrifennu'n rhy boenus. Ond roedd hi wedi treio'n awr gyda'r ysgrifenyddes, sawl gwaith, ac wedi methu'n lân â gosod brawddeg gyfan ar bapur. Nid ar yr ysgrifenyddes yr oedd y bai—gwyddai Ann fod y ferch yn ddigon parod ac awyddus i weithio (er y câi'r teimlad fod ei meddyliau hi ar bethau eraill weithiau) eithr arni hi'i hun roedd y bai. Ni allai weithio fel hyn—roedd hi'n licio ysgrifennu pethau i lawr a'u croesi nhw allan, ysgrifennu tudalen a'i rwygo fe, ysgrifennu tudalennau a'u rhowlio nhw'n belenni a'u taflu i'r bin sbwriel. Wrth geisio ar-ddweud ei syniadau o flaen y ferch hon ofnai y byddai'n swnio'n ffŵl. Doedd hi erioed wedi gallu gweithio teipiadur fel awduron eraill heb sôn am brosesydd geiriau na dweud ei brawddegau amrwd wrth ddieithryn—nac wrth rywun roedd hi'n ei nabod yn eithaf da chwaith.

Eto i gyd doedd Ann ddim yn fodlon rhoi'r gorau iddi eto. Efallai y deuai'n fwy cyfarwydd â Marged, neu efallai y deuai'n gyfarwydd â'r sefyllfa fel y gallai'i hanwybyddu hi. Roedd hi wedi ymgyfarwyddo â llawer o bethau a oedd yn anghynefin neu'n annifyr ar y dechrau. Fe gymerai amser. Rhaid iddi fagu amynedd.

Ond yn y cyfamser roedd hi'n gweld eisiau'i hysgrifbin a'i hysgrifen gorynnaidd ei hun.

'Amheuir tystiolaeth pobl sy'n honni gweld hedbethau annabyddedig yn aml,' ysgrifennodd Marged. Teimlai fod y term 'hedbeth annabyddedig' yn lletchwith ac anghyfarwydd ond roedd hi'n benderfynol na ddefnyddiai eiriau Saesneg, na chwaith eiriau Saesneg wedi'u Cymreigio, na ato! Codasai'r term 'hedbeth annabyddedig' o hen hen rifyn o hen gylchgrawn o'r ganrif ddiwethaf (pan oedd hi'n gwneud gwaith ymchwil ar gyfer ei thraethawd).

Edrychodd eto ar y frawddeg a ysgrifenasai yn ei hysgrifen fân Eidalaidd a doedd hi ddim yn cytuno â'r agwedd, neu ni fuasai hi'i hun yn amau'r sawl a honnai ei fod yn gweld—neu wedi gweld—hedbeth annabyddedig fwy nag unwaith. Wedi'r cyfan os oeddynt yn bod mewn gwirionedd yna buasai'n ddigon naturiol fod pobl yn eu gweld nhw fwy nag unwaith—weithiau. Wedi'r cyfan mae morfilod yn bod felly does neb yn amau tystiolaeth pobl sydd wedi'u gweld nhw sawl gwaith! Pam lai gyda phethau yn yr awyr? Roedd hi'n licio'r ymadrodd 'pethau yn yr awyr'. Cyhoeddasai Jung lyfr gyda'r ymadrodd yn yr is-deitl.

Ond i fynd yn ôl at ei brawddeg agoriadol nid hyhi oedd yn amau (roedd hi'n rhy hygoelus efallai), dyna pam y defnyddiasai'r amhersonol.

Roedd Ann yn pendwmpian. Cysgasai'n ysbeidiol ac yn rhwyfus yn ystod y nos. Nawr ar ôl codi'n gynnar a cheisio darllen roedd hi'n dal i deimlo'n gysglyd. Cawsai freuddwydion neu hunllefau arswydus. Gwelsai filwr Rhufeinig cyhyrog a blewog yn rhedeg ar ei hôl hi gyda chleddyf mawr yn ei law a hithau'n methu symud a phob math o ddelweddau Ffreudaidd fel'na'n glytiau digyswllt, fel storïau byrion arbrofol. Doedd hi ddim yn licio storïau fel'na â llawer o ddarnau heb eu datrys ynddynt. Yn ei storïau teimlai'i bod hi'n ddyletswydd i glymu popeth yn y diwedd. Ni châi neb ei chyhuddo o ddrysu a chamarwain ei darllenwyr yn fwriadol.

Daeth rhyw benysgafnder drosti, rhyw fadrondod ar ôl iddi ddihuno a cheisio codi, a gallai weld mewn niwl ymrithiad o'i holl feirniaid sbeitlyd a gwenieithus yn chwerthin am ei phen ac yn eu canol safai Garmon Gruffydd yn borcyn ac yn chwerthin fel cythraul wedi meddwi ac yn dal ei freichiau blewog fel pe i'w chofleidio hi.

Ar ôl gweithio ar ei llyfr am awr cafodd Marged frecwast ac wedyn i mewn i'r hen *Beajour* â hi i yrru i dŷ Ann i weithio ar y stori fondigrybwyll. Buasai wedi licio aros yn ei thŷ'i hun i weithio ar hanes digwyddiad enwog Boianai, Papua Guinea Newydd. Un o'i hoff hanesion. Roedd hi yn y car erbyn hyn ac ar ei ffordd i weld y llenores. Ym 1959, Mehefin 26, gwelodd y Parch William Booth Gill a thri deg saith o frodorion Papua rywbeth yn disgleirio yn yr awyr. Daeth y gwrthrych tuag atynt. Daeth i lawr i ryw bum can troedfedd o'r llawr nes bod Gill yn gallu gweld pedwar dyn yn symud ar dop y llong awyr fel petaent yn gweithio ar rywbeth. Am 7.20 yn y diwetydd esgynnodd y cerbyd i ryw 2,000 o droedfeddi ond am 8.28 daeth i lawr eto, yn is y tro hwn. Y diwrnod wedyn digwyddodd yr un peth eto. Gwelodd Gill fod un o'r bobl ar y llong-awyr yn syllu arnynt, felly chwifiodd ei law ac er mawr syndod i bawb chwifiodd y dyn ar y llong yn ôl mewn cyfarchiad. Gwelodd Gill gyfres o ddigwyddiadau fel hyn dros gyfnod byr. Arwyddwyd llythyr ganddo a'r tystion eraill—tri deg wyth o lofnodion i gyd—i gofnodi'r digwyddiad. Hoffai Marged feddwl am yr ymwelwyr o'r gofod yn cyfarch y Parch. William Booth Gill a'r bobl eraill mewn modd mor heddychlon. Ond erbyn hyn roedd Marged ar fin cyrraedd tŷ Ann Gruffydd-Jones.

* * *

Pan ddaeth Ron Moses y dyn llaeth lan y feidr a thrwy glwydi mawr addurniedig tŷ Ann Gruffydd-Jones yn nes ymlaen y bore hwnnw gwyddai ar unwaith fod rhywbeth o'i le. Roedd y tŷ yn annaturiol o dawel. Yna fe welodd rhywbeth yn gorwedd ar y lawnt. Cerddodd ato i weld beth oedd e a gwelodd gorff Marc Gruffydd-Jones yn hanner noeth a phwll o waed yn ei amgylchynu. Rhedodd Ron i'r pentre a ffoniodd yr heddlu. Daeth Sarjent James ar unwaith ac ar ôl archwilio'r corff yn gyflym aeth i mewn i'r tŷ. Roedd hi'n dawel iawn. Ar ôl galw a galw aeth i fyny'r grisiau a daeth o hyd i Ann Gruffydd-Jones yn eistedd wrth ei bwrdd â darn o bapur yn ei llaw. Doedd dim byd ar y papur. Roedd hi wedi marw'n dawel. Daethpwyd o hyd i gar bach hen ffasiwn Marged Cadwaladr yn wag ar yr heol wledig.